韓国語中級
読解練習

TOPIK＆ハン検中級レベル

李昌圭 著

白帝社

WEB上での音声無料ダウンロードサービスについて

■『韓国語中級読解練習』の音声ファイル（MP3）を無料でダウンロードできます。「白帝社　韓国語中級読解練習」で検索、または下記サイトにアクセスしてください。

http://www.hakuteisha.co.jp/news/n32783.html

■ 本文中の🔊マークの箇所が音声ファイル提供箇所です。

■ ファイルはZIP形式で圧縮された形でダウンロードされます。

ファイルは「すべての章」と「第1章」～「第16章」ごとに選んでダウンロードすることができます。

パソコンやスマートフォン（別途解凍アプリが必要）などにダウンロードしてご利用ください。

※ご使用機器、音声再生ソフトに関する技術的なご質問は、各メーカーにお問い合わせください。

はじめに

本書は韓国語中級レベルの学習者のための読解テキストです。基本的な文法や初中級課程の文法や文型の学習をひとまず終えて、次は韓国語のまとまった文章を読んで読解力を伸ばしたいけれど、適切な教材が見つからないとの声をよく耳にします。確かに今日まで多くの韓国語学習書が刊行されてきましたが、読解教材は少なく、あっても内容が難しかったり昔話など素材が偏っていたりしているのが現状です。中級レベルの学習者のために、様々なテーマを適切なレベルの文章で学習しやすく書かれた教材が求められています。

本書はこうした実情を踏まえて、特定の話題や文体に偏らずに幅広く様々な話題を素材とした文章が読めるように170題の文章を16のテーマに分類して収録しています。文章に用いられる文法や表現はTOPIK（韓国語能力試験）中級、ハングル検定中級レベルに調整し、文章の長さも学習者がスピード感を持って様々な文章が読めるように適度な長さで調整して構成しています。

文章のテーマはハングル検定やTOPIKの読解問題にもよく出題される素材を選んでいます。また、文章で用いられた文法と表現も検定中級レベルに該当するものが用いられているので、TOPIKとハングル検定の試験対策としても有効に活用できます。

本書収録の文章はすべて韓国現地の声優による録音の音声が付いています。聞き流したり音声をまねて復唱したり、聞いた内容を書いてみたりするなど聴解力を高める練習用としても大いに活用してください。

語学の学習は地道な努力が求められます。文章を最後まで読んで聞いて、理解できなかった語彙や表現の箇所は繰り返し練習してマスターできるようにしましょう。

本書によって文章を読むことに自信がついてきたら、レベルを上げてまた様々な韓国語の文章読解にチャレンジしてください。みなさんのさらなる韓国語力の向上を願っています。

李　昌圭

目次

本書の構成と特長

1 テーマ別に厳選された170題の文章を収録

■テーマが偏らない身近な話題を素材とした文章を、16テーマに分けて170題を収録しています。

■長い文章に読み慣れていない学習者のために、文章は読みやすい適当な長さで調整しています。

■韓国語の文章で用いられる基本的な文体に慣れるように、各章の中に「합니다体」、「해요体」、「한다体」の文章をバランスよく配置しています。

2 原文と訳文は見比べやすいように見開きで提示

■原文と訳文は見比べやすいように見開きページの対訳で提示しています。

■原文と訳文は適当な長さで番号を付して区切り、探しやすくしています。

■訳文は特に不自然でない限り直訳を優先し、韓国語的な表現スタイルに慣れるようにしています。

3 音声を聞いて文章の聴解力を鍛えることができる

■全文、音声として収録しているので、長文の聴解練習に活用できます。

■音声は、1回目は普通のスピードで、2回目は適当な長さの文で区切り、数秒間の休止を入れて聴解の練習がしやすいようにしています。

4 TOPIKとハングル検定の読解試験対策にも活用できる

■文章はTOPIK初中級の2級、3級、4級レベル、ハングル検定試験中級の3級、準2級レベルの文法と表現で調整しているので各検定の読解試験対策の練習としても活用できます。

■付録の音声は各検定の聞き取り試験対策の練習としても活用できます。

5 文の内容に関連する事柄や多義語を詳細に解説

■文章の下段に読解時に参考にできる「語彙と表現」を収録しています。

■訳文の下段に文中出現の多義語や関連事項を解説して収録しています。

■語尾や慣用表現などの文法事項は巻末にまとめて収録しています。

■各章のテーマに関連するYouTubeリンク先をQRコードで紹介しています。

本書の使い方

外国語の学習に万人受けする方法などはありません。既存の学習方法を試しつつ、自分の性格と能力に適した学習方法を見つけるのが大事です。

1 読解へのおすすめ学習法

■最初は音読をしながら原文を最後まで読んで理解してみます。

■原文だけを読んで理解が難しかった場合は「語彙と表現」、巻末資料の文法項目を参考にしながら、再度読解にチャレンジしてみます。

■理解できなかった箇所はマークをつけるか、ノートにまとめて復習します。

■難度が高く理解できない箇所が多い場合は、訳文を参考にして読みます。

◇◇

■ノートを準備し、訳文を見ながら原文を復元してみます。

■原文復元は読み終わった直後ではなく、翌日か少し間をおいて訳文だけを見ながら元の原文を思い出して書き出します。

■原文と比較して、間違えた箇所を自己添削し、復元文の精度を高めます。

■原文復元の練習は、読解力だけでなく長めの文章が書ける能力も身につきます。作文力を高めたい人はぜひこの練習で鍛えてください。

2 聴解へのおすすめ学習法

■まず原文を見ないで音声を最後まで聞いて内容を理解してみます。2回目は「語彙と表現」を参考にして再び内容を確認します。

■次は原文を読んで、聞いて理解した内容と合っているか確認します。どこが聞き取れていて、どこがわからなかったかをチェックします。

■あまり聞き取れない場合は原文を見ながら聞きます。聞き取れなかった箇所に集中して、原文を見なくても聞き取れるように繰り返し練習します。

◇◇

■原文の内容が理解できたら、流れてくる音声をまねて、ほぼ同時にしっかり声を出して復唱するシャドーイングをしてみます。通勤・通学中の電車の中では頭の中で復唱することでシャドーイングできます。

■自分のシャドーイング音声を録音して、正しく発音できていなかったところ、ついていけなかったところなどを確認・修正しながら練習を繰り返します。

■内容が理解出来たら、音声を文単位などで停止し、聞いた内容を復唱したり復元して書いてみたりするなどリプロダクションの練習をしてみます。

■ 無料で利用できる韓国語⇔日本語Web Dictionary

➜ https://ja.dict.naver.com/

➜ https://dic.daum.net/index.do?dic=jp&q=

第1章
날씨, 계절
天気・季節

1 한국의 계절

002

❶ 한국은 봄, 여름, 가을, 겨울 사계절이 뚜렷합니다. 봄은 따뜻하고 여러 가지 꽃이 핍니다. ❷ 여름은 아주 덥고 비가 많이 옵니다. 또한 기온이 30도 이상으로 올라가는 무더운 날이 많습니다. ❸ 가을이 되면 날씨가 시원해집니다. 한국의 가을 하늘은 맑고 푸릅니다. 그리고 나뭇잎들은 노랗고 빨갛게 단풍이 듭니다. ❹ 한국의 겨울은 12월부터 시작되는데 춥고 바람이 많이 붑니다.

2 첫눈

003

❶ 지금 밖에는 눈이 내리고 있습니다. 이번 겨울에 처음 오는 눈입니다. ❷ 눈이 내리는 것을 보니까 어릴 때의 고향 생각이 납니다. 아버지는 첫눈이 오면 항상 나를 데리고 스키장에 갔습니다. ❸ 그래서 나는 겨울을 좋아했고 겨울이 되면 눈이 빨리 오기를 기다렸습니다. ❹ 서울로 이사 온 후로는 생활이 바빠져서 한 번도 스키장에 못 갔습니다. 다음 주말에는 시간을 내어 스키를 타러 가 보고 싶습니다.

어휘와 표현

고향	故郷	밖	外	시원해지다	涼しくなる
기온	気温	빨갛다	赤い	어리다	幼い
나뭇잎	木の葉	사계절	四季	올라가다	上がる
노랗다	黄色い	생각이 나다	思い出す	이사	引っ越し
단풍이 들다	紅葉する	생활	生活	첫눈	初雪
뚜렷하다	はっきりしている	스키를 타다	スキーをする	항상	常に、いつも
맑다	晴れている、澄む	스키장	スキー場		
무덥다	蒸し暑い	시간을 내다	時間を作る		

韓国の季節 1

1 韓国は春、夏、秋、冬の四季がはっきりしています。春は暖かくていろいろな花が咲きます。2 夏はとても暑くて雨がたくさん降ります。また気温が 30度以上に上がる蒸し暑い日が多いです。3 秋になると涼しくなります。韓国の秋空は晴れ渡って青いです。そして木の葉は黄色く赤く紅葉します。4 韓国の冬は 12月から始まりますが、寒くて風がたくさん吹きます。

初雪 2

1 いま外は雪が降っています。今年の冬に初めて降る雪です。2 雪が降るのを見ると子供の頃の故郷のことを思い出します。父は初雪が降るといつも私を連れてスキー場に行きました。3 だから私は冬が好きでしたし、冬になると雪が早く降ることを待ちわびていました。4 ソウルに引っ越して来てからは、生活が忙しくなって一度もスキー場に行くことができませんでした。次の週末は時間を作ってスキーに行ってみたいです。

■ YouTubeへのリンク先
➜「한국의 사계절・오늘 날씨・장맛비・온돌・이상 기후」
「韓国の四季・今日の天気・梅雨・オンドル・異常気象」
＊YouTubeのリンク先が変更されている場合は上記のキーワードで検索してください。

■ **主要な文法事項**は、巻末に付録 (p.214) としてまとめて収録しています。
巻末の資料1と2の主要助詞、語尾・慣用表現リストを参考にしてください。

3 장맛비

004

1 6월 말부터 7월 중순까지 많은 비가 내립니다. 이렇게 계속해서 내리는 비를 장맛비라고 하는데요. 2 보통 6월 말이 되면 남쪽에서 올라온 따뜻한 공기와 북쪽에서 내려온 차가운 공기가 한반도 상공에서 만나게 됩니다. 3 이 두 공기는 힘이 비슷해서 한동안 그 자리에 머무릅니다. 이때 많은 비를 만들어 뿌리는데[1] 그게 바로[2] 장맛비입니다. 4 장마가 끝나면 연일 30도를 웃도는 본격적인 여름이 시작됩니다.

4 온돌

005

1 한국의 겨울은 아주 춥습니다. 1월에는 기온이 영하 10도 이하로 내려갈 때도 많습니다. 2 이런 추운 겨울에 한국에서는 온돌로 실내를 따뜻하게 합니다. 온돌은 방바닥을 따뜻하게 하는 한국 고유의 난방 문화입니다. 3 옛날에는 방바닥에 돌을 깔고 그 돌을 따뜻하게 했습니다. 그렇지만 지금은 돌 대신에 보일러 난방으로 24시간 방바닥을 따뜻하게 합니다. 4 실내 전체가 따뜻해서 가벼운 옷차림으로 지낼 수 있습니다.

어휘와 표현

계속하다	続ける	본격적	本格的	웃돌다	上回る
공기	空気	비슷하다	似ている	이하	以下
깔다	敷く	상공	上空	장맛비	梅雨時の雨
난방	暖房	실내	室内	전체	全体
내려가다	下がる	연일	連日	중순	中旬
머무르다	留まる	영하	零下、氷点下	차갑다	冷たい
바닥	床	온돌	オンドル	한동안	一時、しばらく
방바닥	部屋の床面	옷차림	服装	한반도	韓(朝鮮)半島

梅雨時の雨 3

1 6月末から7月中旬まで多くの雨が降ります。(この時期に)このように続けて降る雨を梅雨と言います。**2** 普通6月末になると南の方から上って来た暖かい空気と北の方から降りてきた冷たい空気が韓(朝鮮)半島上空で出合います。**3** この二つの空気は力がほぼ同じでしばらくその場に留まっています。この時多くの雨を作って降らしますが、それがすなわち梅雨です。**4** 梅雨が明けると連日30度を上回る本格的な夏が始まります。

オンドル 4

1 韓国の冬はとても寒いです。1月には気温が零下10度以下に下がる時も多いです。**2** このような寒い冬に韓国ではオンドルで室内を暖めます。オンドルは床を暖める韓国固有の暖房文化です。**3** 昔は部屋の床に石を敷いてその石を温めました。しかし今は石の代りにボイラー暖房で24時間部屋の床を暖めます。**4** 室内全体が暖かくて軽い服装で暮らすことができます。

....

1) 뿌리다：①降らす、②撒く・蒔く、③(お金などを)ばらまく、④(涙を)落とす

・비를 뿌리다. 雨を降らす。　물을 뿌리다. 水をまく。
씨를 뿌리다. 種をまく。
돈을 뿌리다. お金をばらまく。　눈물을 뿌리다. 涙を落とす。

2) 바로：①まさに、間違いなく、②すぐ、③まっすぐ、④正しく、正確に

・바로 그 사람. まさにその人だよ。　바로 집 앞에 있다. すぐ家の前にある。
바로 연락하다. すぐ連絡する。　선을 바로 긋다. 線をまっすぐに引く。
바로 사용하다. 正しく使用する。　바로 고치다. きちんと直す。

5 일기 예보

006

❶ 일기 예보를 말씀드리겠습니다.오늘은 대체로 흐리고 기온도 어제보다 많이 내려가서 추워지겠습니다. ❷ 밤에는 기온이 더 떨어져서 내일 아침에는 얼음이 어는 곳도 있겠습니다. ❸ 이번 추위는 삼사일쯤 계속되다가 목요일부터 조금 따뜻해지겠습니다. ❹ 다음 주에는 눈 소식도 있다고 합니다. 추운 날씨에 감기 조심하시기 바랍니다. 지금까지 오늘의 날씨였습니다.

6 오늘의 날씨

007

❶ 오늘의 날씨를 말씀드리겠습니다. 오늘 중부 지방[3] 은 구름이 많이 끼겠고, 남부 지방은 대체로 맑겠습니다. ❷ 아침 최저 기온은 0도에서 7도, 낮 최고 기온은 10도에서 17도로 어제보다 조금 올라가겠습니다. ❸ 아침과 낮의 기온 차이가 큽니다. 이럴 때는 두꺼운 옷보다 얇은 옷을 여러 개 입는 것이 좋겠습니다. ❹ 건강한 하루를 보내시기 바랍니다.

어휘와 표현

계속되다　続く
구름이 끼다　雲がかかる
남부 지방　南部地方
대체로　大体、大抵
두껍다　分厚い
말씀드리다　申し上げる
바라다　願う、望む
얇다　薄い
얼음이 얼다　氷が張る
일기 예보　天気予報
조심하다　気を付ける
중부 지방　中部地方
차이가 크다　差が大きい
최고　最高
최저 기온　最低気温
하루　一日
흐리다　曇る

天気予報 5

1 天気予報を申し上げます。今日は概ね曇り、気温も昨日より大幅に下がって寒くなります。2 夜は気温がさらに下がって、明日の朝は氷が張るところもあるでしょう。3 今回の寒さは3～4日ほど続いて、木曜日から少し暖かくなります。4 来週は雪の便りもあるそうです。寒いので風邪にお気をつけください。以上、今日の天気でした。

今日の天気 6

1 今日の天気を申し上げます。今日中部地方は雲が多くかかり、南部地方は概ね晴れます。2 朝の最低気温は0度から7度、昼の最高気温は10度から17度で昨日より少し上がります。3 朝と昼の気温の差が大きいです。こういう時は厚い服より薄い服を何枚か着た方がいいです。4 元気に一日をお過ごしください。

3) 放送などでは全国的な気象情報を伝えるときに중부 지방(中部地方)、남부 지방(南部地方)という用語を用いることもある。この場合の중부と남부は大体次のように区分される。
① 중부 지방(中部地方)：서울(ソウル)、인천(仁川)、경기도(京畿道)、대전(大田)、세종(世宗)、충청북도(忠清北道)/충청남도(忠清南道)、강원도(江原道)
② 남부 지방(南部地方)：전라남도(全羅南道)/전라북도(全羅北道)、광주(光州)、경상남도(慶尚南道)/경상북도(慶尚北道)、대구(大邱)、부산(釜山)、울산(蔚山)

7 날씨와 복장

008

1 날씨가 더울 때에는 밝은 옷을 입는 것이 좋다. **2** 검은 옷을 입으면 날씨보다 더 덥게 느껴지는데 그 이유는 검은색[4]이 햇빛을 받아들이기 때문이다.따라서 추운 날에는 검은 옷을 입는 것이 좋다. **3** 자외선의 경우는 검은색 옷이 자외선 차단 효과가 높고 흰색 옷은 차단 효과가 낮다. **4** 따라서 자외선의 영향을 걱정한다면 여름날에도 검은색 옷이나 검은색 양산을 쓰는 것이 좋다.

8 제비가 낮게 날면

009

1 지금처럼 기상 관측이 발달되기 전에 사람들은 동물의 움직임이나 몸의 상태로 날씨를 짐작했다. **2** 제비가 보통 때보다 낮게 날면 그 날은 비가 온다. 개구리가 시끄럽게 울면 비가 온다. **3** 할머니나 할아버지의 허리가 아프거나 무릎이 쑤시면 비가 온다. **4** 오전에 안개가 많이 끼거나[5] 밤에 별이 잘 보이면 날씨가 맑겠다는 식으로 날씨를 짐작했다.

어휘와 표현

걱정하다	心配する	상태	状態、具合、調子	제비	ツバメ
검다	黒い	시끄럽다	うるさい	짐작하다	推測する
검은색	黒色	안개가 끼다	霧が立ち込める	차단	遮断
기상 관측	気象観測	양산	日傘	햇빛	日光、日差し
낮다	低い	영향	影響	허리	腰
무릎이 쑤시다	膝が痛む	움직임	動き	효과	効果
밝다	明るい	자외선	紫外線	흰색	白色

天気と服装 7

1 暑い時は明るい服を着たほうがよい。2 黒い服を着ると天気よりもさらに暑く感じられるが、その理由は黒色が日光を取り入れるからだ。したがって寒い日は黒い服を着たほうがよい。3 紫外線の場合は黒色の服が紫外線の遮断の効果が高く、白色の服は遮断の効果が低い。4 したがって紫外線の影響を心配するならば夏の日も黒色の服や黒色の日傘を差したほうがよい。

ツバメが低く飛ぶと 8

1 今のように気象観測が発達する前に人々は動物の動きや体の具合で天気を予測した。2 ツバメが普段より低く飛ぶとその日は雨が降る。カエルがうるさく鳴くと雨が降る。3 おばあさんやおじいさんの腰が痛んだり膝が痛むと雨が降る。4 午前中に霧が濃く立ち込めたり夜に星がはっきりと見えたりすると晴れるというふうに天気を予測した。

4) 色を表わす言葉：검은색 黒色、흰색 白色、노란색 黄色、파란색 青色、빨간색 赤色、분홍색 薄紅色、초록색 薄緑色、갈색 茶色、회색 灰色、보라색 紫色、주황색 橙色、남색 藍色

5) 끼다：①(手袋・指輪などを)はめる、②(腕を)組む、③沿う、④(霧・雲などが)かかる、⑤(コケ・カビなどが)生える、むす

・장갑을 끼다. 手袋をはめる。　반지를 끼다. 指輪をはめる。
팔짱을 끼다. 腕を組む。　강을 끼고 올라가다. 川に沿って上っていく。
안개가 끼다. 霧がかかる。　이끼가 끼다. コケがむす。

9 열대야

🔊 010

❶ 2일 밤부터 3일 새벽 사이에 남부지방에 올해 여름 들어 처음으로 열대야가 찾아왔다. ❷ 열대야는 밤이 되어도 기온이 내려가지 않고 새벽까지 기온이 25도를 넘는 밤의 더위를 말한다. ❸ 열대야는 장마철이 지난 뒤 찾아오는 것이 보통인데 올해는 예년보다 보름 정도 빨리 장마 중에 찾아온 것이다. ❹ 올해는 여름이 일찍 시작된 데다가, 바다를 통해[6] 덥고 습기가 많은 공기가 계속 한반도로 들어오기 때문이다.

10 올해 여름은

🔊 011

❶ 기상청의 발표에 따르면[7] 올해 6월 기온은 작년과 비슷하겠지만 7월 기온은 지난해보다 낮아질 것 같다. ❷ 또 올 여름 장마는 6월 말부터 7월 말까지 한 달쯤 계속될 것이라고 한다. ❸ 그러나 장마가 끝난 뒤 8월에도 지역에 따라 큰비가 내릴 수 있으므로 캠핑이나 해수욕을 가는 사람들은 일기 예보에 주의해야 한다. ❹ 그리고 8월 중에는 두세 개 정도의 태풍이 우리 나라를 지나갈 것으로 예상된다.

어휘와 표현

기상청	気象庁	습기	湿気	큰비	大雨
낮아지다	低くなる	에 따르면	～によると	태풍	台風
따르다	よる、従う	예상되다	予想される	통하다	通じる
발표	発表	올	今年の	한반도	韓(朝鮮)半島
보름	15日間、半月	장마철	梅雨時	해수욕	海水浴
비슷하다	似ている	지역	地域		
새벽	明け方	찾아오다	訪れる		

熱帯夜 9

1 2日の夜から3日の明け方の間に南部地方に今年の夏に入って初めて熱帯夜がやってきた。2 熱帯夜は夜になっても気温が下がらないで、明け方まで気温が25度を超える夜の暑さのことを言う。3 熱帯夜は梅雨時が過ぎた後やってくるのが普通なのに、今年は例年より半月ぐらい早く梅雨の間にやってきたのである。4 今年は夏が早く始まったうえに、海を通って暑くて湿り気の多い空気が、続けて韓(朝鮮)半島に入って来ているからだ。

今年の夏は 10

1 気象庁の発表によると今年6月の気温は去年とほぼ同じだが、7月の気温は去年より低くなりそうだ。2 また今年の夏の梅雨は6月末から7月末まで1か月ぐらい続きそうだと言う。3 しかし、梅雨が明けた後、8月にも地域によっては大雨が降る可能性があるので、キャンプや海水浴に行く人は天気予報に注意しなければならない。4 そして8月中には二つか三つぐらいの台風が韓国を通過するものと予想される。

6) -을/를 통해(서)・-을/를 통하여 : ～を通じて、～通って、～通して
- 친구를 통해 들었다. 友人を通じて聞いた。
  일생을 통해 배운다. 生涯を通して学ぶ。

7) -에 따르면 /-에 따라(서) /-에 따른 : ～によると/～によって /～による
- 시간에 따라 다르다. 時間によって違う。
  계절에 따른 변화. 季節による変化。
  인구가 늘어남에 따라. 人口が増えるに従って。
  연구에 따르면. 研究によると。

第2章

교통

交通

1 교통 수단

012

❶ 서울에서는 많은 사람들이 지하철과 버스를 이용합니다. 요금도 쌉니다. ❷ 지하철은 길이 막히지 않기 때문에 언제나 시간을 정확하게 지켜 줍니다. ❸ 버스는 창 밖을 구경할 수 있어서 좋지만 길이 복잡하면 많이 막힙니다.그렇기 때문에 출근 시간이나 퇴근 시간에는 버스보다 지하철을 타는 것이 좋습니다. ❹ 택시는 바쁜 일이 있을 때 이용하는 사람이 많지만 길이 막힐 때는 불편합니다.

2 교통 카드

013

❶ 한국에서는 버스나 지하철을 탈 때 교통 카드를 사용합니다. 아주 편리합니다. ❷ 교통 카드를 사용하면 현금이 필요없습니다. 그리고 버스나 지하철 요금을 할인 받을 수 있습니다. ❸ 다른 버스나 지하철로 갈아탈 때도 요금을 할인해 줍니다. ❹ 또한 편의점이나 패스트푸드, 영화관, 주차장, 자판기 등을 이용할 때 전자 화폐로도 사용할 수 있습니다. 교통 카드는 역이나 편의점에서 살 수 있습니다.

어휘와 표현

갈아타다 乗り換える
교통 카드 交通カード
구경하다 見物する、見る
길이 막히다 道路が渋滞する
길이 복잡하다 道路が混む
불편하다 不便だ
사용하다 使用する
이용하다 利用する
자동판매기 自動販売機
자판기 自販機
전자 화폐 電子マネー
정확하다 正確だ
지키다 守る
출근 出勤
퇴근 退勤
패스트푸드 ファーストフード
편의점 コンビニ
할인 割引
현금 現金

交通手段 1

1 ソウルでは多くの人々が地下鉄とバスを利用します。料金も安いです。2 地下鉄は道路が渋滞しないのでいつも時間を正確に守ってくれます。3 バスは窓の外を見ることができていいけれど、道路が混むとかなり渋滞します。そのため出勤時間や帰りの時間はバスより地下鉄に乗ったほうがいいです。4 タクシーは忙しい用事があるとき、利用する人が多いけど、道路が渋滞するときは不便です。

交通カード 2

1 韓国ではバスや地下鉄に乗るとき、交通カードを使います。とても便利です。2 交通カードを使うと現金が要りません。そしてバスや地下鉄の料金を割引してもらうことができます。3 他のバスや地下鉄に乗り換えるときも料金を割引してくれます。4 またコンビニやファーストフード、映画館、駐車場、自販機などを利用するとき、電子マネーとしても使用できます。交通カードは駅やコンビニで買うことができます。

■ **YouTubeへのリンク先**
➜「서울 지하철·교통 카드·기내 안내 방송·차 없는 날」
「ソウルの地下鉄・交通カード・機内案内放送・ノーカーデー」
*YouTubeのリンク先が変更されている場合は上記のキーワードで検索してください。

■ **主要な文法事項**は、巻末に付録 (p.214) としてまとめて収録しています。
巻末の資料1と2の主要助詞、語尾・慣用表現リストを参考にしてください。

3 도착 시간

014

❶ 스마트폰을 사용하게 되면서 우리 생활이 대단히 편리해졌습니다. ❷ 버스를 타려고 할 때 버스가 있는 위치와 버스가 도착하는 시간을 알 수 있습니다. ❸ 사람들은 버스가 정류장에 도착하는 시간을 확인하고 버스를 타러 갑니다. ❹ 그래서 버스를 오래 기다리지 않고 바로 탈 수 있습니다. ❺ 이 서비스를 이용하면 교통 사고나 교통 상황에 관한[1] 정보도 알 수 있습니다.

4 기내 방송

015

❶ 안녕하십니까. 오늘 저희 비행기를 이용해 주셔서 대단히 감사합니다. 저는 이 비행기의 기장 김민수입니다. ❷ 이 비행기는 오늘 오전 9시에 김포국제공항을 출발하여 목적지인 하네다국제공항에는 11시 20분에 도착할 예정입니다. ❸ 현재 도쿄는 영상[2] 20도의 따뜻하고 맑은 날씨입니다. 바람이 조금 불고 있습니다만 비행에는 문제가 없겠습니다. ❹ 즐거운 여행 되시길 바랍니다. 감사합니다.

어휘와 표현

국제공항	国際空港	상황	状況	이용하다	利用する
기장	機長	스마트폰	スマホ	정류장	停留場
도착하다	到着する	~에 관한	~に関する	정보	情報
목적지	目的地	영상	零度以上の気温	편리하다	便利だ
바로	すぐ	예정	予定	현재	現在
사용하다	使用する	위치	位置	확인하다	確認する

到着時間 3

1 スマートホンを使うようになって私たちの生活がとても便利になりました。**2** バスに乗ろうとするとき、バスがいる位置とバスが到着する時間が分かります。**3** 人々はバスが停留場に到着する時間を確認してバスに乗りに行きます。**4** だからバスを長く待たないですぐ乗ることができます。**5** このサービスを利用すると交通事故や交通状況に関する情報もわかります。

機内放送 4

1 こんにちは。本日私どもの飛行機をご利用いただき、誠にありがとうございます。私は当飛行機の機長キムミンスです。**2** 当機は本日午前9時に金浦(キムポ)国際空港を出発して目的地である羽田国際空港には11時20分に到着する予定です。**3** 現在東京は(気温)20度で暖かく晴れています。風が少し吹いておりますが、飛行に問題はございません。**4** 楽しいご旅行になりますように。ありがとうございました。

1) −에 관해(서)・−에 관하여/ −에 관한：～に関して・～について/～に関する
・종교에 관하여 이야기하다. 宗教について話す。
사용법에 관해서 설명하다. 使い方について説明する。
교육에 관한 문제. 教育に関する問題。
2) 영상(零上)：韓国では零度以上の気温を指して「영상(零上)」という言葉を使う。零下は「영하(零下)」と言い、「氷点下」や「マイナス」とは言わない。

5 길 안내

016

1 학교 앞 횡단보도를 건너면 우체국이 있어요. 그 우체국에서 은행 쪽으로 똑바로 5분쯤 가세요. **2** 첫번째 사거리에 횡단보도가 있는데 그 횡단보도를 건너세요. 다시 5분쯤 똑바로 가면 육교가 있는데 그 육교를 건너서 오른쪽으로 가면 병원이 있어요. **3** 병원 앞 사거리에서 왼쪽으로 100m쯤 가면 지하도가 있어요. 1번 입구로 들어가서 2번 출구로 나오세요. **4** 바로 앞에 커피숍이 있어요. 외울 수 있겠어요?

6 학원 버스

017

1 한국의 초등학생들은 학교에 갈 때 대부분 걸어서 가요. 그런데 집에 갈 때는 학원 버스를 타고 가는 학생[3)]들이 많아요. **2** 왜냐하면 한국의 초등학생들 중에는 학원[4)]에 다니는 학생들이 많기 때문이에요. **3** 학원 버스가 학교 앞에서 기다리고 있다가 수업을 마치고 나오는 학생들을 태워서 학원에 데리고 가요. **4** 그리고 학원 수업이 끝나면 학생들은 다시 학원 버스를 타고 집으로 가요.

어휘와 표현

다시	再び、また	오른쪽	右側	첫번째	一つ目、一番目
데리고 가다	連れて行く	왜냐하면	なぜなら	초등학생	小学校の児童
똑바로	まっすぐ	외우다	覚える	출구	出口
마치다	終える	왼쪽	左側	태우다	乗せる
미터(m)	メートル	육교	歩道橋	학원	塾
바로	すぐ	입구	入口	횡단보도	横断歩道
사거리	交差点	지하도	地下道		

道案内　5

1 学校の前の横断歩道を渡ると郵便局があります。その郵便局から銀行のほうにまっすぐ5分ぐらい行ってください。2 一つ目の交差点に横断歩道がありますが、その横断歩道を渡ってください。また 5分ぐらいまっすぐ行くと歩道橋があり、その歩道橋を渡って右側に行くと病院があります。3 病院の前の交差点から左に100mぐらい行くと地下道があります。1番の入口から入って2番の出口に出てきてください。4 すぐ前にコーヒーショップがあります。覚えられますか。

塾のバス　6

1 韓国の小学生たちは学校へ行くとき、たいてい歩いて行きます。ところが家に帰るときは塾のバスに乗って帰る児童が多いです。2 なぜなら韓国の小学生の中には塾に通う児童が多いからです。3 塾のバスが学校の前で待っていて、授業を終えて出てくる児童たちを乗せて塾に連れて行きます。4 そして塾の授業が終わると児童たちはまた塾のバスに乗って家に帰ります。

3) 日本語では小学校の「児童」、中学校・高校の「生徒」、大学の「学生」のように使い分けているが、韓国語では特に区別せずにすべて「학생(学生)」と言う。
・초등학교 학생이 줄고 있다. 小学校の児童が減っている。
중학교 학생들이 견학을 왔다. 中学校の生徒たちが見学に来た。

4) 학원(学院):学科、補習、技能、芸術、体育などを教える私設の大小の教育機関を総称して「학원」と言う。
・영수 학원 英数塾、영어 학원 英語教室・学校、요리 학원 料理学校、
미술 학원 美術教室、운전 학원 運転教習所、미용 학원 美容学校

7 갈아타기

018

1 서울에서 교통 카드나 신용 카드를 사용하여 버스나 지하철을 갈아타면 요금이 할인된다. **2** 내릴 때마다 반드시 단말기에 카드를 대야 한다. 유효 시간은 하차 후 30분 이내이다. **3** 그러나 지하철을 나온 후 다시 지하철을 이용하거나 같은 번호의 버스를 이용할 때에는 환승 할인이 적용되지 않는다. **4** 환승 할인을 이용 하면 10km[5]까지가 기본 요금이고 그 후 5km마다 요금이 추가로 부과된다.

8 차 없는 날

019

1 서울시는 이번 주 목요일에 올해 들어 두 번째로 차 없는 날 행사를 실시한다. **2** 이날은 시내 일부 도로에서는 하루 종일 승용차 통행이 금지되고 버스만 운행된다. **3** 공공 기관의 주차장도 문을 닫기 때문에 시민들은 가능한 한 대중교통을 이용하는 것이 좋다. **4** 서울시는 대중교통을 이용해 출근하는 시민들의 편의를 위해[6] 서울의 모든 버스와 지하철을 오전 아홉 시까지 늘려서 운행할 예정이다.

어휘와 표현

가능한 한	できるだけ
갈아타다	乗り換える
금지	禁止
늘리다	増やす
단말기	端末機
대다	当てる、タッチする
대중교통	公共交通機関
문을 닫다	(営業を)やめる
반드시	必ず
부과되다	課せられる
신용 카드	クレジットカード
실시하다	実施する
운행하다	運行する
유효	有効
을/를 위해	～のために
적용되다	適用される
추가	追加
편의	便宜
하루 종일	一日中
하차	下車
할인되다	割引される
행사	行事、イベント
환승	乗り換え

乗り換え 7

1 ソウルでは交通カードやクレジットカードを使ってバスや地下鉄に乗り換えると料金が割引される。**2** 降りる度に必ず端末機にカードをタッチしければならない。有効時間は下車後30分以内である。**3** しかし、地下鉄から出た後、また地下鉄を利用するか同じ番号のバスを利用するときは乗り換え割引が適用されない。**4** 乗り換え割引を利用すると、10kmまでが基本料金で、それ以降5kmごとに料金が追加で課せられる。

ノーカーデー 8

1 ソウル市は今週の木曜日に今年に入って2回目のノーカーデーのイベントを実施する。**2** この日は市内一部の道路では終日乗用車の通行が禁止され、バスだけ運行される。**3** 公共機関の駐車場も閉鎖されるので市民はできるだけ公共交通機関を利用したほうがよい。**4** ソウル市は公共交通機関を利用して出勤する市民の便宜をはかるためにソウルのすべてのバスと地下鉄を午前9時まで増やして運行する予定だ。

5) 距離と広さ、重さの単位の読み
㎞：킬로미터/ 킬로, m：미터, ㎝：센티미터/센티, ㎜：밀리미터/ 밀리
㎢：제곱킬로미터/ 제곱킬로, ㎡：제곱미터、kg：킬로그램/킬로

6) −를/을 위해(서)・−를/을 위하여・−를/을 위한：〜のために/〜のための
・장애인을 위하여 설치했다.　障害者のために設置した。
팀의 우승을 위해 노력했다.　チームの優勝のために努力した。
조사를 위한 준비　調査のための準備

9 피서를 떠날 때는

020

❶ 피서철[7]인 7, 8월은 교통사고가 일년 중 가장 많은 때이다. ❷ 대부분의 사고는 낯선 도로에서 빨리 달리거나 교통 법규를 지키지 않아서 일어난다. ❸ 승용차를 이용해 멀리 피서를 떠날 때는 내비게이션에만 의존하지 말고 안내 책자나 지도를 보고 길을 미리 알아두는 것이 좋다. ❹ 그리고 자동차의 상태가 어떤지 미리 살펴보고 필요하면 수리도 해 두어야 한다.

10 유실물 센터

021

❶ 누구나 소중한 물건을 잃어버려 당황했던 적이 있을 것이다. ❷ 지하철이나 공항에서 잃어버린 물건을 유실물이라고 하는데 이렇게 잃어버린 물건을 보관하고 찾아주기 위해 역이나 공항에는 유실물 센터[8]가 있다. ❸ 유실물 센터에서는 물건을 주운 사람들이 가져온 유실물 주인을 찾아주는 일을 한다. ❹ 물건을 잃어버린 사람이 유실물 센터에 신고하면 그런 물건이 있는지 확인하고 연락을 해 준다.

어휘와 표현

교통사고	交通事故	살펴보다	調べる、観察する	잃어버리다	なくす
낯설다	見慣れない	소중하다	大切だ	책자	冊子、パンフレット
당황하다	慌てる	수리	修理	피서철	避暑シーズン、バカンスシーズン
미리	予め、前もって	신고하다	届ける		
법규	法規	알아두다	知っておく	확인하다	確認する
유실물	遺失物、紛失物	의존하다	依存する		

避暑に行くときは 9

❶ 避暑シーズンの7、8月は交通事故が1年の中で最も多い時期だ。❷ ほとんどの事故は不慣れな道路でのスピードの出し過ぎか交通規則を守らなくて起きる。❸ 乗用車を利用して遠く避暑に行くときはナビゲーションだけに頼らないで案内パンフレットや地図を見て前もって把握しておいたほうがよい。❹ そして車の状態がどうなのか前もって調べておき、必要ならば修理もしておかなければならない。

遺失物センター 10

❶ 誰でも大切なものをなくして慌てたことがあるだろう。❷ 地下鉄や空港でなくしてしまったものを遺失物と言うが、このようになくしてしまったものを保管して探してあげるために駅や空港には遺失物センターがある。❸ 遺失物センターではものを拾った人たちが持って来た遺失物の持ち主を探してあげることをする。❹ ものをなくした人が遺失物センターに届けると、そういうものがあるのか確認して連絡をしてくれる。

7) 피서철：避暑シーズン、夏の旅行シーズンを言う。主に7月下旬から8月初旬までがこの避暑シーズンに該当する。

8) 유실물센터：遺失物センター。「분실물센터(紛失物センター)」とも言う。主要駅や警察署に設けられている。最近は、各遺失物センターに届けられた遺失物は全国をカバーする警察庁の遺失物総合案内システムと連携されているので、紛失した人はオンラインで自分がなくしたものが届けられているかどうか検索することもできる。

第3章

음식, 식사

食べ物・食事

1 김치

022

1 한국의 김치는 보통 배추로 만들지만 오이나 무와 같은 채소로 만들기도 합니다. 그래서 배추김치나 오이김치, 총각김치 같은 여러가지 종류의 김치가 있습니다. **2** 김치는 고춧가루가 들어가기 때문에 맵지만 고춧가루를 넣지 않고 담가서 맵지 않은 김치도 있습니다. **3** 국물이 많은 물김치도 있고 무만 넣어서 담근 김치도 있습니다. **4** 배추김치만 먹지 말고 여러 가지 종류의 김치를 먹어 보는 것도 좋을 겁니다.

2 무엇을 먹는가?

023

1 옛날에는 밥과 김치가 가장 좋은 음식이었고 건강에도 좋았습니다. **2** 아이들은 간식으로 김치나 고구마로 만든 음식이나 떡 같은 것을 많이 먹었습니다. **3** 하지만 요즘 아이들은 컵라면이나 햄버거, 피자,스파게티,소시지,치킨과 같이 요리하지 않고 빨리 맛있게 먹을 수 있는 음식들을 좋아합니다. **4** 이런 음식들은 맛있지만 살이 많이 찔 수 있습니다. 맛도 중요하지만 건강도 생각하면서 먹는 것이 좋겠습니다.

어휘와 표현

간식	おやつ、間食	담그다	漬ける	옛날	昔
건강	健康	떡	餅	오이	キュウリ
고구마	サツマイモ	무	大根	중요하다	大事だ
고춧가루	トウガラシの粉	배추	白菜	채소	野菜
국물	漬汁	살이 찌다	太る	컵라면	カップめん

※총각김치(チョンガーキムチ):葉付きのミニ大根「총각무」で漬けたキムチ。
물김치(ムルキムチ):大根の葉、白菜などをざく切りにして漬け汁を多くしてキムチ。

キムチ　1

1 韓国のキムチは普通白菜で作りますが、キュウリや大根のような野菜でも作ったりします。だから白菜キムチやキュウリキムチ、チョンガーキムチのようないろいろな種類のキムチがあります。2 キムチは唐辛子の粉が入るので辛いですが、唐辛子の粉を入れないで漬けて辛くないキムチもあります。3 漬汁が多いムルキムチもあり、大根だけを入れて漬けたキムチもあります。4 白菜キムチだけを食べないでいろいろな種類のキムチを食べてみるのもいいと思います。

何を食べるか　2

1 昔はご飯とキムチがいちばんいい食べ物だったし、健康にもよかったです。2 子供たちはおやつとしてキムチやサツマイモで作った食べ物、モチのようなものを多く食べました。3 しかし、最近の子供たちはカップ麺やハンバーガー、ピザ、スパゲッティ、ソーセージ、チキンのように調理しないで早く美味しく食べられる食べ物が好きです。4 このような食べ物は美味しいけれど、とても太る可能性があります。味も大事ですが、健康も考えて食べたほうがいいでしょう。

■ YouTubeへのリンク先
➜「김치 만들기·포장마차 음식·한국요리 만들기·전통 한식·먹방」/「キムチ作り・屋台料理・韓国料理・伝統韓国料理・モクパン(大食い動画)」
＊YouTubeのリンク先が変更されている場合は上記のキーワードで検索してください。

■ **主要な文法事項**は、巻末に付録 (p.214) としてまとめて収録しています。
巻末の資料1と2の主要助詞、語尾・慣用表現リストを参考にしてください。

3 젓가락과 숟가락 024

1 한국 사람들은 밥을 먹을 때 젓가락[1]과 숟가락을 사용합니다. 밥과 국은 숟가락으로 먹고 반찬은 젓가락으로 먹습니다. 2 숟가락과 젓가락을 한 손에 같이 잡고 먹으면 안 됩니다. 3 일본과는 달리 밥그릇이나 국그릇은 손에 들고 먹지 않고 식탁 위에 놓고 먹습니다. 4 한국의 젓가락은 금속으로 만든 것이 많아서 일본의 젓가락에 비해[2] 조금 무겁고 작습니다.

4 음식을 만들 때 025

1 음식을 만들 때 불을 이용하는 것은 옛날이나 지금이나 같습니다. 2 그러나 옛날에는 나무나 석탄을 사용했는데, 현대에는 가스나 전기를 사용하여 간단히 조리할 수 있는 점이 다릅니다. 3 또한 옛날에는 밥과 함께 된장이나 고추장으로 만든 반찬을 많이 먹었습니다. 4 지금은 이러한 전통적인 음식뿐만이 아니라 쉽게 먹을 수 있는 인스턴트 음식이나, 피자나 스파게티와 같은 서양에서 들어온 음식도 많이 먹습니다.

어휘와 표현

고추장	コチュジャン	반찬	おかず	잡다	つかむ、握る、持つ
국그릇	汁わん	밥그릇	食器	전기	電気
금속	金属	불	火	전통적	伝統的
나무	木	서양	西洋	젓가락	箸
달리	違って	석탄	石炭	조리하다	調理する
된장	味噌	숟가락	匙、スプーン	한 손	片手、同じ手
무겁다	重い	인스턴트	インスタント	현대	現代

箸とスプーン 3

1 韓国の人はご飯を食べるとき、箸とスプーンを使います。ご飯とスープはスプーンで食べて、おかずは箸で食べます。2 スプーンと箸を片手に同時に持って食べてはいけません。3 日本とは違ってご飯茶碗や汁物の茶碗は手に取って食べないで食卓の上に置いて食べます。4 韓国の箸は金属で作ったものが多いので日本の箸に比べて少し重くて小さいです。

料理をするとき 4

1 料理をするとき、火を利用するのは昔も今も同じです。2 しかし、昔は木や石炭を使いましたが、現代はガスや電気を使って簡単に調理できる点が違います。3 また昔はご飯とともに味噌やコチュジャンで作ったおかずを多く食べました。4 今はこのような伝統的な食べ物だけではなく簡単に食べられるインスタント食品や、ピザやスパゲッティのような西洋から入って来た食べ物も多く食べています。

1) 割り箸は「나무젓가락」と言うが、韓国では環境保護の観点から1994年から飲食店での使用が禁止されている。ただ、コンビニの弁当やカップ麺などは現在も割り箸を添付して販売している。

2) –에 비해(서)・비하여/ –에 비하면：～に比べて/　～に比べると

・지난달에 비해 매출이 늘었다.　先月に比べて売上げが伸びた。
가격에 비해 품질은 좋지 않다.　価格に比べて品質はよくない。
그때에 비하면 지금은 많이 좋아졌다.　当時に比べると今は大分よくなった。

5 요리하는 남편

026

❶ 요즘 부부는 예전과 많이 다릅니다. 예전에는 남편이 일하러 가고, 아내는 집에서 장[3]을 보고 음식을 만들고 청소를 했습니다. ❷ 그런데 요즘에는 남편과 아내 모두 회사에서 일하기 때문에 집안일을 남편과 아내가 나누어서 합니다. ❸ 그래서 요리하는 남편, 설거지하는 남편이 많습니다. ❹ 가족을 위해 맛있는 음식을 만들려고 요리 학원에 다니는 남자들도 많아졌습니다.

6 혼자서 식사를

027

❶ 요즘 식당들은 혼자 오는 손님들을 위한 여러 가지 방법들을 생각하고 있습니다. ❷ 요리사의 맞은편[4] 자리에 앉아서 음식 만드는 것을 볼 수 있도록 의자를 놓기도 하고, 큰 TV를 보면서 식사할 수 있도록 하기도 합니다. ❸ 혼자 고기를 구워 먹을 수 있는 식당도 생겼습니다. ❹ 바쁜 생활 속에서 혼자서 조용히 음식을 즐기는 시간은 바쁜 현대인에게 잠시 편안함을 느끼게 하는 중요한 시간입니다.

어휘와 표현

굽다	焼く	방법	方法	집안일	家事
나누다	分ける	부부	夫婦	청소	掃除
남편	夫	생기다	生じる、できる	편안함	安らぎ、安楽
느끼다	感じる	설거지	食器洗い	현대인	現代人
많아지다	増える、増す	아내	妻		
맞은편	向かい側	예전	昔		

料理をする夫 5

1 最近の夫婦は昔とだいぶ違います。昔は夫が仕事に行って、妻は家で買い物をして料理を作って掃除をしました。2 ところが最近は夫と妻がともに会社で働くので家事を夫と妻が分けてやります。3 だから料理する夫、食器洗いをする夫が多いです。4 家族のために美味しい料理を作ろうと料理教室に通っている男性も増えてきました。

一人で食事を 6

1 最近食堂では一人で来るお客さんのためのさまざまな方法を工夫しています。2 料理人の向かい側の席に座って料理を作るのを見ることができるように椅子をおいたり、大きいテレビを見ながら食事ができるようにしたりします。3 一人で肉を焼いて食べられる食堂も現われました。4 忙しい生活の中で一人で静かに料理を楽しむ時間は忙しい現代人にしばし安らぎを感じさせる大事な時間です。

3) 장(場)：시장(市場)の縮約形。市、市場
・장을 보다.(市場に行って)買い物をする。 장에 가다. 市場に行く。

4) 位置関係のことば
・맞은편 向かい側、뒤편 後ろ側、위 上、아래 下、앞 前、뒤 後ろ、오른쪽 右、왼쪽 左、가운데 真ん中、안・속 中、밖 外、곁 (人の)横・傍ら、옆 横・そば・隣・傍ら、근처 近所、사이 間、중간 中間、동쪽 東、서쪽 西、남쪽 南、북쪽 北、동서남북 東西南北

7 출장 요리

028

❶ 파티 요리에 자신이 없다. 직접 음식 준비를 하고 싶은데 시간이 없다. ❷ 이럴 때는 걱정하지 말고 출장 요리사에게 맡기면 된다. ❸ 아기 돌잔치 음식부터 집들이[5] 음식, 부모님 생신 잔치 요리까지 모두 부탁할 수 있다. ❹ 장 보러 갈 필요도 없다. 싱싱한 재료를 준비해 가지고 와서 집에서 바로 요리해 준다. ❺ 메뉴 고르기, 장보기, 식탁 차리기[6] 같은 귀찮은 것을 모두 대신해 줘서 아주 편하다.

8 식생활의 변화

029

❶ 최근 수십 년 동안에 우리 식생활은 너무 빠른 속도로 변해 왔다. ❷ 피자, 햄버거, 스파게티로 식사를 대신하는 요즘 젊은이들은 학교 생활이나 직장 생활을 하면서 밥 한번 해 볼 시간이 없고 해야 할 필요성도 모르고 지낸다. ❸ 결혼 후 그들의 냉장고는 온통 즉석 식품과 가공식품 등으로 채워진다. ❹ 이러한 식생활의 변화는 지금 세대뿐 아니라 다음 세대의 건강에도 큰 영향을 미칠 것으로 예상된다.

어휘와 표현

가공식품	加工食品	밥을 하다	ご飯を炊く	젊은이	若者
걱정하다	心配する	변하다	変わる	즉석 식품	インスタント食品
고르기	選び	빠르다	早い	직접	直接
귀찮다	面倒だ	식탁 차리기	食卓の準備	출장	出張
냉장고	冷蔵庫	싱싱하다	新鮮だ	편하다	楽だ
대신하다	代わる	온통	すべて	필요성	必要性
돌잔치	初誕生日のお祝い	장을 보다	買い物をする		
맡기다	任せる	재료	材料		

出張料理 7

1 パーティー料理に自信がない。直接料理の準備をしたいけど、時間がない。**2** こういうときは心配しないで出張料理人に任せればよい。**3** 赤ちゃんの初誕生日祝いの料理から引っ越し祝いの料理、ご両親の誕生日祝いの料理まですべて頼むことができる。**4** 買い物に行く必要もない。新鮮な材料を準備して来て、家ですぐ料理してくれる。**5** メニュー選び、買い物、食卓の準備のような面倒なことをすべて代わりにやってくれるのでとても楽だ。

食生活の変化 8

1 最近の数十年の間に私たちの食生活は非常に早いスピードで変わってきた。**2** ピザ、ハンバーガー、スパゲッティで食事の代わりとする最近の若者たちは学校生活や社会生活を送りながら一度もご飯を炊く機会がなく、炊かなければならない必要性も感じないで暮らす。**3** 結婚後、彼らの冷蔵庫はすべてインスタント食品と加工食品などで埋められる。**4** このような食生活の変化はいまの世代だけではなく次の世代の健康にも大きい影響を及ぼすものと予想される。

5) 집들이: 親しい人たちを呼んで新居をお披露目し、食事をふるまって祝うことを「집들이」と言う。単純に引っ越したことに対するお祝いというよりは、家を新築したり購入したりして入居した時や結婚をして新居を構えた時に行われることが多い。

6) 차리다 : ①(料理を)整える、支度をする、②構える、③わきまえる・つくろう

・음식을 차리다. 料理を(食卓に)並べる。　상을 차리다.　お膳を整える。
가게를 차리다. 店を構える。　살림을 차리다. 所帯を構える
예절을 차리다. 礼節をわきまえる。　체면을 차리다. 体面をつくろう。

9 적당한 온도

030

❶ 신선한 재료, 뛰어난 요리 솜씨, 요리하는 사람의 정성 등은 맛있는 음식을 만들기 위해 필요한 조건이다. ❷ 그런데 이러한 조건을 갖추었는데도 맥주가 따뜻하고 피자가 차갑다면 어떨까? ❸ 사람의 혀는 단맛, 쓴맛, 짠맛, 신맛 외에 온도를 느낀다. 그리고 온도에 따라 맛을 더 강하게 느끼거나 약하게 느끼게 된다. ❹ 그러므로 각각의 음식에 맞는 적당한 온도를 유지하는 것이 좋은 요리의 기본이 된다.

10 어떻게 먹는가?

031

❶ 건강을 위해서는 운동이나 바른 생활 습관도 중요하지만 기본적으로 지켜야 할 것은 고기나 생선, 야채, 과일 등을 가리지[7] 않고 골고루 먹는 것이다. ❷ 그러나 무엇을 먹느냐[8]보다 더 중요한 것은 어떻게 먹느냐이다. ❸ 한꺼번에 많이 먹기보다는 가능하면 조금씩 자주, 그리고 천천히 먹는 것이 좋다. ❹ 또 식사 시간과 횟수는 규칙적이어야 한다. 그러므로 아무리 바쁘더라도 아침 식사는 꼭 하는 것이 좋다.

어휘와 표현

가리다	選り好みする	단맛	甘味	온도	温度
각각	それぞれ	뛰어나다	優れている	유지하다	保つ、維持する
강하다	強い	바르다	正しい	정성	真心、誠意
갖추다	取りそろえる	습관	習慣	조건	条件
골고루	均等に	신맛	酸味	짠맛	塩味
규칙적	規則的	신선하다	新鮮だ	한꺼번에	一度に
그러므로	したがって、それゆえ	쓴맛	苦味	횟수	回数
기본	基本	약하다	弱い		

適度な温度 9

1 新鮮な材料、すぐれた料理の腕前、料理する人の真心などは美味しい料理を作るために必要な条件である。**2** ところがこのような条件を取りそろえたのに、ビールが温かくてピザが冷たいとしたらどうだろう。**3** 人の舌は甘味、苦味、塩味、酸味のほかに温度を感じる。そして温度によって味をさらに強く感じたり弱く感じたりするようになる。**4** したがってそれぞれの料理に合う適度な温度を維持するのが良い料理の基本になる。

どのように食べるか 10

1 健康のためには運動や正しい生活習慣も重要だが、基本的に守らなければならないことは肉や魚、野菜、果物などを選り好みせずバランスよく食べることだ。**2** しかし何を食べるかよりもっと重要なことはどのように食べるかということだ。**3** 一度にたくさん食べるよりはできれば少しずつ数回、そしてゆっくり食べたほうがよい。**4** また食事の時間と回数は規則的でなければならない。したがっていくら忙しくても朝食は必ず摂ったほうがよい。

····························

7) 가리다 : ①遮る、遮られる、覆う、②選ぶ、③わきまえる、④選り好みする

・나무에 가리다. 木に遮られる。	얼굴을 가리고 운다. 顔を覆って泣く。
수단과 방법을 가리지 않다.	手段と方法を選ばない。
때와 장소를 가리지 않고….	時と場所をわきまえず…。
음식을 가리지 말고 먹자.	食べ物は選り好みしないで食べよう。

8) -느냐 : ～か、～のか

・돈이 있느냐 없느냐에 따라서….	お金があるかないかによって…。
언제 보냈느냐고 물었다.	いつ送ったのかと聞いた。

第4章
물건 사기

買い物

1 슈퍼마켓 032

❶ 우리 동네에 큰 슈퍼마켓이 새로 생겼습니다. 이 슈퍼마켓은 24시간 문을 열고 물건도 싸게 팝니다. ❷ 밤늦게 돌아오는 사람들에게는 대단히 편리합니다. ❸ 그리고 아이들이 놀 수 있는 놀이방도 있어서 아이가 있는 사람들도 쇼핑하기에 편리합니다. ❹ 인터넷으로 주문한 물건을 집으로 배달해 주기 때문에 일이 바쁜 직장인들이나 아이가 어려서 장보기가 힘든 주부들도 많이 이용합니다.

2 시장 033

❶ 집에서 걸어서 갈 수 있는 곳에 시장이 하나 있습니다. 시장은 물건 값이 싸기 때문에 자주 갑니다. ❷ 시장에서는 값을 깎아 주거나 덤을 주기도 합니다. 손님을 부르는 시장 사람들의 목소리로 언제나 활기가 있습니다. ❸ 오늘은 시장에서 배추와 생선을 샀습니다. 아주 싱싱했습니다. ❹ 큰 슈퍼마켓이 늘어나면서 이런 재래식 시장이 줄고 있어서 섭섭합니다.

어휘와 표현

값을 깎다	値引きする	새로	新しく、新たに	주문하다	注文する
놀이방	遊び場	섭섭하다	残念だ、寂しい	줄다	減る
덤	おまけ	슈퍼마켓	スーパーマーケット	직장인	勤め人
문을 열다	営業をする	싱싱하다	新鮮だ	활기	活気
물건	もの、商品	장보기	買い物	힘들다	大変だ
배달하다	配達する	재래식	在来式、在来の		

スーパーマーケット 1

① 私の町に大きいスーパーマーケットが新しくできました。このスーパーマーケットは24時間営業をして、商品も安く売っています。② 夜遅く帰って来る人たちにはとても便利です。③ そして子供たちが遊べる遊び場もあるので子供がいる人たちも買い物をするのに便利です。④ インターネットで注文したものを家に配達してくれるので、仕事が忙しいサラリーマンや子供が幼くて買い物が大変な主婦たちも多く利用します。

市場 2

① 家から歩いて行けるところに市場が一つあります。市場はものの値段が安いのでよく行きます。② 市場では値引きしてくれたりおまけをくれたりします。お客さんを呼ぶ市場の人たちの声でいつも活気があります。③ 今日は市場で白菜と魚を買いました。とても新鮮でした。④ 大きいスーパーマーケットが増えるにつれてこのような在来の市場が減っていてさびしいです。

■ YouTubeへのリンク先
➜「동대문시장・남대문시장・백화점 세일・인터넷 쇼핑」
「東大門市場・南大門市場・デパートセール・ネットショッピング」
*YouTubeのリンク先が変更されている場合は上記のキーワードで検索してください。

■ **主要な文法事項**は、巻末に付録 (p.214) としてまとめて収録しています。
巻末の資料1と2の主要助詞、語尾・慣用表現リストを参考にしてください。

3 인터넷 쇼핑 034

❶ 나는 인터넷 쇼핑을 자주 해요. 시장이나 백화점보다 싸게 살 수 있어서 좋아요. ❷ 배송도 빨라서 이틀[1] 후에 받을 수 있어요. 한번은 인터넷으로 가방을 샀어요. ❸ 하지만 마음에 들지 않았어요. 인터넷으로 볼 때는 예뻤는데 나에게는 어울리지 않아서 반품했어요. ❹ 인터넷 쇼핑을 할 때는 물건을 잘 고르면 싸게 살 수 있어요. ❺ 하지만 사진하고 다를 수도 있고 옷은 입어 볼 수 없으니까 잘 알아보고 사야 돼요.

4 좋은 물건을 사려면 035

❶ 비슷한 것이 너무 많아 어느 것을 고르면 좋을지 망설일 때가 많습니다. 좋은 물건을 사려면 어떻게 해야 할까요? ❷ 첫째[2], 품질을 잘 살펴봐야 합니다. 보기에는 좋지만 값만 비싸고 품질이 나쁜 물건도 많이 있기 때문입니다. ❸ 둘째, 싸고 좋은 물건을 파는 곳이 어디에 있는지 알아 두는 것이 좋습니다. ❹ 셋째, 사고 싶은 물건이 있으면 그 물건을 먼저 사용해 본 사람에게 물어보는 것도 좋은 방법입니다.

어휘와 표현

고르다	選ぶ	반품하다	返品する	어울리다	似合う
다르다	異なる	배송	配送	이틀	二日
둘째	第二、2番目	비슷하다	似ている	첫째	第一、1番目
마음에 들다	気に入る	사용하다	使用する	품질	品質
망설이다	迷う	셋째	第三、3番目		
물어보다	聞いてみる	알아보다	調べる		

ネットショッピング　3

1 私はネットショッピングをよくします。市場やデパートより安く買えるのでいいです。2 配送も早くて二日後に受け取ることができます。一度ネットでカバンを買いました。3 しかし、気に入りませんでした。ネットで見たときはきれいでしたが、私には似合わなかったので返品しました。4 ネットショッピングをするときはものをうまく選べば安く買うことができます。5 しかし、写真と違う可能性もあるし、服は着てみることができないのでよく調べて買わなければなりません。

いいものを買うには　4

1 似ているものがあまりにも多くてどれを選べばいいか迷うことが多いです。よいものを買うにはどうすればいいでしょうか。2 第一に品質をよく調べてみなければなりません。見た目はよいけれど、値段ばかり高くて品質は悪いものもたくさんあるからです。3 第二に安くてよいものを売るところがどこにあるか知っておいたほうがいいです。4 第三に買いたいものがあればそれを先に使ってみた人に聞いてみるのもいい方法です。

1) 固有語の日付、日数のことば
- 하루, 이틀, 사흘, 나흘, 닷새, 엿새, 이레, 여드레, 아흐레, 열흘, 열하루…
  1日、 2日、 3日、 4日、 5日、 6日、 7日、 8日、 9日、 10日、11日…
  보름날 15日、그믐날 みそか・末日、정월 正月、동짓달 11月、섣달 12月

2) 順序を表わすことば
- 첫째, 둘째, 셋째, 넷째, 다섯째, 여섯째, 일곱째, 여덟째, 아홉째, 열째
  1番目、2番目、3番目、4番目、5番目、6番目、7番目、8番目、9番目、10番目

5 시장에서 산 가방

🔊 036

1 이것은 작년에 동대문시장에서 산 가방이에요. 처음 값은 5만 5천 원이었는데 값을 깎아서[3] 5만 원에 샀어요. **2** 가방이 커서 책 여러 권과 컴퓨터를 넣고 다녀요. 그리고 튼튼해서 무거운 것을 많이 넣어도 찢어지지 않아 좋아요. **3** 그렇지만 한쪽 면이 흰색이어서 금방 더러워지는 건 안 좋아요. **4** 그리고 가죽 제품이어서 손질을 하기도 어려워요.

6 문구점에

🔊 037

1 내일 문화 수업에서 부채[4]를 만들 예정입니다. 부채를 만들려면 여러가지 재료가 필요합니다. **2** 그래서 오늘 부채를 만드는 데 필요한 재료를 사러 문구점에 갔습니다.여러 색깔의 종이와 풀을 샀습니다. **3** 풀은 집에서도 가끔 필요하니까 하나 더 샀습니다. 가위와 자도 필요하지만 이것들은 집에 있으니까 사지 않았습니다. **4** 이 재료들을 가지고 시원하고 예쁜 부채를 만들 생각입니다.

어휘와 표현

가위	はさみ	문화	文化	처음	最初
가죽 제품	革製品	부채	うちわ	튼튼하다	丈夫だ
금방	すぐ	색깔	色	풀	糊
더러워지다	汚れる	손질	手入れ	한쪽	片方、片側
동대문시장	東大門市場	자	定規	흰색	白色
면	面、一面	재료	材料		
문구점	文具店	찢어지다	破れる		

市場で買ったカバン　5

1 これは去年東大門市場で買ったカバンです。最初の値段は5万5千ウォンでしたが、値切って5万ウォンで買いました。2 カバンが大きくて何冊もの本とパソコンを入れて持ち歩きます。そして丈夫で重いものをたくさん入れても破れなくてよいです。3 しかし、片方の面が白色なのですぐ汚れるのはよくないです。4 そして皮製品なので手入れをするのも難しいです。

文具店へ　6

1 明日の文化授業でうちわを作る予定です。うちわを作ろうとするといろいろな材料が必要です。2 そこで今日うちわを作るのに必要な材料を買いに文具店に行きました。いろんな色の紙とのりを買いました。3 のりは家でもたまに必要なのでもう一つ買いました。はさみと物差しも必要だけど、これらは家にあるので買わなかったです。4 これらの材料を使って、涼しくて素敵なうちわを作るつもりです。

3) 깎다：①値切る、削る、②削る、むく、③(髪・毛・草などを)そる、刈る
・물건 값을 깎다.　ものを値切る。　예산을 깎다.　予算を削る。
연필을 깎다.　鉛筆を削る。　사과를 깎다.　リンゴをむく。
수염을 깎다.　ひげをそる。　머리를 깎다.　髪を刈る。
풀을 깎다.　草を刈る。

4)「부채」はうちわや扇の総称として用いられるが、区別して使う場合、扇(扇子)のように折り畳めるものは「쥘부채」、または「접부채」、うちわは「둥글부채」、または「자루부채」という。

7 상품평

038

❶ 인터넷으로 물건을 사고 후회한 경험이 가끔 있을 것이다. ❷ 인터넷 쇼핑 사이트에서는 상품을 직접 확인해 볼 수 없어 제품의 장단점을 파악하기가 힘들기[5] 때문이다. ❸ 그런데 이런 문제는 제품을 구입하기 전에 상품평을 확인하면 어느 정도 해결할 수 있다. ❹ 상품평은 소비자들이 물건을 직접 사용한 후에 쓴 글이므로 제품의 장단점을 아는 데 도움이 된다.

8 백화점 세일

039

❶ 백화점에서 세일을 할 때는 손님들에게 빠른 음악을 들려준다.그러면 손님들이 빨리 많은 물건을 사기 때문이다. ❷ 그러나 세일을 안 할 때는 조용한 음악을 들려준다. ❸ 그런 음악은 손님들이 천천히 구경하면서 오랫동안 쇼핑을 하게 만든다. ❹ 이렇게 백화점은 손님들이 하나라도 더 물건을 살 수 있도록 여러 가지 방법으로 손님들의 마음을 움직이고 있다.

어휘와 표현

구경하다	見物する、見る
구입하다	購入する
도움이 되다	役に立つ
상품평	カスタマーレビュー
방법	方法
세일	セール
소비자	消費者
오랫동안	長い間
움직이다	動く
장단점	長所と短所
조용하다	静かだ
직접	直接
천천히	ゆっくり
파악하다	把握する
해결하다	解決する
확인하다	確認する
후회하다	後悔する

カスタマーレビュー 7

1 インターネットで買い物をして後悔した経験がたまにあるだろう。2 ネットショッピングサイトでは商品を直接確認してみることができないので製品の長所と短所を把握しにくいからだ。3 しかし、このような問題は製品を購入する前にカスタマーレビューを確認すればある程度解決することができる。4 カスタマーレビューは消費者が商品を直接使った後で書いたレビューなので製品の長所と短所を知るのに役に立つ。

デパートのセール 8

1 デパートでセールをするときは買い物客に(テンポの)早い音楽を聞かせる。そうすると買い物客は早く多くのものを買うからだ。2 しかし、セールをしないときは静かな音楽を聞かせる。3 そのような音楽は買い物客がゆっくりものを見ながら時間をかけて買い物をするようにする。4 このようにデパートは買い物客が一つでも多くの買い物ができるようにさまざまな方法で買い物客の心を動かしている。

・・・・・・・・・・・・・・・・・・・・・・・・・・・・・・

5) −기(가) 힘들다	믿기 힘든 이야기다.	信じがたい話だ。
・−기(가) 쉽다	감기에 걸리기가 쉽다.	風邪を引きやすい。
−기(가) 어렵다	발음하기가 어렵다.	発音しにくい。
−기(가) 편하다	쓰기 편하다.	書きやすい。
−기(가) 불편하다	가지고 다니기 불편하다.	持ち歩くのに不便だ。
−기(가) 좋다	생활하기 좋은 곳이다.	生活しやすいところだ。

9 좋은 판매원이란 040

1 가게에 가서 물건을 제대로 다 구경하기도 전에 쫓아다니면서 물건을 권하는 판매원을 만날 때가 있다. **2** 이것은 주문한 음식을 아직 먹어보지도 않았는데 음식 맛을 물어보는 식당 종업원을 만났을 때처럼 어이가 없는 일이다. **3** 좋은 판매원이라면 손님들에게 천천히 둘러볼 시간을 주고 필요한 때에 도움을 줄 수 있어야 하지 않을까?

10 쇼핑이란 041

1 쇼핑이란[6] 상품을 구입하는 일이다. 그러나 현대 생활에서의 쇼핑은 자기만족을 느끼고 스트레스를 풀[7] 정도로 우리 생활의 중요한 부분이 되었다. **2** 이러한 쇼핑은 사회가 발전함에 따라 그 방법도 달라지고 있다. **3** 필요한 물건을 사러 직접 가게에 가지 않아도 집에서 리모컨 하나로 쇼핑을 할 수 있게 되었다. **4** 특히 TV 홈쇼핑이나 인터넷 쇼핑은 바쁜 현대인들에게 알맞은 쇼핑 형태로 크게 발전하고 있다.

어휘와 표현

권하다	勧める	부분	部分	쫓아다니다	追いかける
달라지다	変わる	스트레스	ストレス	판매원	販売員
도움을 주다	手助けする	알맞다	合う、ふさわしい	풀다	解消する
둘러보다	見回す	어이가 없다	あきれる	현대인	現代人
리모컨	リモコン	자기만족	自己満足	형태	形態
발전하다	発展する	제대로	まともに	홈쇼핑	ホームショッピング

9 いい販売員とは

1 店に行って商品を十分見終わる前に付きまとって商品を勧める販売員に出会うときがある。**2** これは注文した料理をまだ食べてもいないのに料理の味を聞いてくる食堂の従業員に出会ったときのようにあきれることだ。**3** よい販売員ならお客さんにゆっくり見て回る時間を与えて必要なときに手助けできるようにするべきではないだろうか。

10 ショッピングとは

1 ショッピングとは商品を購入することである。しかし現代生活でのショッピングは自己満足を感じてストレスを解消するほどに私たちの生活の重要な部分になった。**2** このようなショッピングは社会が発展するにつれてその方法も変わっている。**3** 必要なものを買いに直接店へ行かなくても、家でリモコン1つでショッピングができるようになった。**4** 特にテレビホームショッピングやネットショッピングは忙しい現代人にふさわしいショッピングの形態として大きく発展している。

6) (이)란：～とは　◇対象を特別に指定して説明する意を表わす。

- 돈이란 있다가도 없는 거란다. お金とはあったりなかったりするものだ。
  진지란 밥의 높임말이다. 「チンジ」とはご飯の尊敬語である。

7) 풀다：①解消する、ほぐす、②(問題を)解く、③ほどく、外す、④溶かす、溶く

- 긴장을 풀다. 緊張をほぐす。　오해를 풀다. 誤解を解く。
  수학 문제를 풀다. 数学の問題を解く。　수수께끼를 풀다. 謎を解く
  구두끈을 풀다. 靴ひもをほどく。　넥타이를 풀다. ネクタイを外す。
  된장을 풀어 넣다. みそを溶いていれる。　설탕을 물에 풀다. 砂糖を水に溶かす。

第5章

여행

旅行

1 서울타워

042

❶ 남산은 서울 중심부에 위치한 산입니다. 높이가 260m 정도이고 케이블카도 있어서 사람들이 쉽게 갈 수 있는 곳입니다. ❷ 산책길을 따라 올라가면서 계절마다 여러 가지 나무와 꽃을 보고 즐길 수 있습니다. ❸ 봄에는 진달래가, 가을에는 노랗게 물든 은행잎을 볼 수 있습니다. ❹ 정상에는 서울타워가 있습니다. 서울 타워에 올라가면 서울 시내를 다 내려다볼 수 있습니다.

2 대학로

043

❶ 대학로는 젊은 사람들이 많이 찾는 거리입니다. ❷ 이곳에 가면 작은 극장들이 많아서 재미있는 연극이나 공연을 볼 수 있습니다. ❸ 그리고 그림을 감상하거나 영화를 볼 수 있는 곳도 있고 다른 나라의 음식을 파는 식당도 많습니다. ❹ 주말에는 길에서 춤이나 노래를 하는 사람들을 구경할 수 있습니다. 그래서 대학로는 젊은 사람들에게 인기가 많습니다.

어휘와 표현

감상하다	鑑賞する
곳	ところ
공연	公演
구경하다	見物する
내려다보다	見下ろす
노랗다	黄色い
높이	高さ
대학로	㊞大学路
따르다	沿う
물들다	染まる
쉽게	たやすく
시내	市内
연극	演劇
위치하다	位置する
은행잎	銀杏の葉
인기	人気
젊다	若い
정상	頂上
중심부	中心部
즐기다	楽しむ
진달래	ツツジ
찾다	訪れる
케이블카	ケーブルカー
팔다	売る

ソウルタワー　1

1 南山はソウルの中心部に位置している山です。高さが260mほどでケーブルカーもあるので人々が簡単に行けるところです。2 散策路に沿って登りながら季節ごとにさまざまな木と花を見て楽しむことができます。3 春はつつじが、秋は黄色く染まったイチョウの葉が見られます。4 頂上にはソウルタワーがあります。ソウルタワーに上るとソウル市内を全部見下ろすことができます。

大学路　2

1 大学路は若い人がたくさん訪れる街です。2 そこに行くと小さい劇場が多く、面白い演劇や公演を見ることができます。3 そして絵を鑑賞したり映画を観るところもあり、外国の食べ物を売っている店も多いです。4 週末は道で踊りや歌を歌う人たちを見ることができます。だから大学路は若い人たちに人気があります。

■ **YouTubeへのリンク先**
→「제주도 관광명소・경주・서울 관광・제주도 올레길・세계문화유산」/「済州島観光名所・慶州・ソウル観光・済州島オルレギル・世界文化遺産」
*YouTubeのリンク先が変更されている場合は上記のキーワードで検索してください。

■ **主要な文法事項**は、巻末に付録（p.214）としてまとめて収録しています。
巻末の資料1と2の主要助詞、語尾・慣用表現リストを参考にしてください。

3 제주도

044

1 지난 연휴에 친구들과 제주도에 여행을 다녀왔습니다. 제주도는 한국에서 제일 큰 섬입니다. **2** 예전에는 돌과 바람과 여자가 많다고 해서 삼다도라고 불리기도 했습니다. **3** 남쪽에 있는 섬이라서 서울보다 날씨가 따뜻했습니다. 3월 초순인데 노란[1] 유채꽃[2]이 예쁘게 피어 있었습니다. **4** 제주 민속촌과 유명한 관광지를 구경했습니다. 이번에는 2박 3일밖에 여행을 못 했지만 다음에는 좀더 길게 여행을 하고 싶습니다.

4 경주

045

1 경주는 한국의 남쪽에 있는 도시입니다. 전체 면적은 서울의 두 배 정도 되지만, 인구는 26만 명 정도밖에 되지 않습니다. **2** 경주는 옛날에 신라의 수도였기 때문에 경주에는 오래된 건물과 유적지가 많습니다. 그래서 도시 전체가 박물관 같습니다. **3** 경주는 한국의 대표적인 관광지입니다. 거리는 깨끗하고 사람들은 친절합니다. **4** 교통도 편리하고 호텔도 많이 있기 때문에 여행하기에도 좋은 곳입니다.

어휘와 표현

경주	㊞慶州
관광지	観光地
남쪽	南
다녀오다	行ってくる
대표적	代表的
두 배	2倍
민속촌	民俗村
박	泊
섬	島
수도	首都、都
신라	新羅
연휴	連休
오래되다	古い
유적지/유적	遺跡地/遺跡
유채꽃	菜の花
인구	人口
전체 면적	全体面積
지난	この前の
친절하다	親切だ

済州島 3

1 この前の連休に友だちと済州島に旅行に行ってきました。済州島は韓国でいちばん大きい島です。**2** 昔は石と風と女が多いと言って三多島と呼ばれたりしました。**3** 南にある島なのでソウルより暖かかったです。3月初旬なのに黄色い菜の花がきれいに咲いていました。**4** 済州民俗村と有名な観光地を見物しました。今回は2泊3日しか旅行ができなかったのですが、次回はもう少し長く旅行がしたいです。

慶州 4

1 慶州は韓国の南にある都市です。全体の面積はソウルの2倍ほどですが、人口は26万人程度にしかなりません。**2** 慶州は昔新羅の都だったので慶州には古い建物と遺跡が多いです。だから都市全体が博物館のようです。**3** 慶州は韓国の代表的な観光地です。街もきれいで人々は親切です。**4** 交通も便利でホテルも多いので旅行するのにもよいところです。

1) 色を表わす形容詞

・빨갛다/붉다　赤い　파랗다/푸르다　青い　노랗다　黄色い
하얗다/희다　白い　까맣다/ 검다　黒い
단풍이 노랗고 빨갛게 물들었다.　紅葉が黄色く赤く染まった。
가을 하늘이 높고 푸르다.　秋空が高くて青い。
검은 바지에 흰 와이셔츠를 입었다. 黒いズボンに白いワイシャツを着た。

2) 済州島は菜の花が有名。見ごろは3月末から4月中旬。4月上旬に「제주 유채꽃 축제(済州菜の花祭り)」が開かれる。

5 전주비빔밥

046

1 지난 주에 전주에 다녀왔습니다. 전주는 전라북도의 중심 도시로서 조용하고 깨끗한 도시입니다. **2** 음식이 맛있는 곳으로 유명합니다. 지리적으로 평야와 산, 강과 바다가 모두 가까워서 여러 가지 식재료를 구하기 쉽습니다. **3** 그래서 전주에 가면 맛있는 음식을 많이 먹을 수 있습니다. 가장 유명한 음식은 전주비빔밥입니다. **4** 맛있는 음식을 맛 보려고 전국에서 많은 관광객들이 찾아옵니다.

6 쓰시마

047

1 바빠서 멀리 여행할 시간이 없으세요? 그러면 쓰시마에 한 번 와 보세요. **2** 쓰시마는 한국에서 제일 가까운 일본의 섬입니다. 부산에서 남쪽으로 50km밖에 떨어져[3)] 있지 않습니다. **3** 쓰시마에는 푸른 바다와 아름다운 산이 있고 쓰시마에서만 먹을 수 있는 특별한 음식도 많습니다. **4** 부산에서 배로 한 시간이면 충분합니다. 쓰시마에 오시면 즐거운 시간을 보낼 수 있습니다. 쓰시마에서 만납시다.

어휘와 표현

강	川
구하다	手に入れる
떨어지다	離れる
맛을 보다	味わう
배	船
식재료	食材
쓰시마	(地) 対馬
전라북도	(地) 全羅北道
전주	(地) 全州
제일	最も
중심	中心
지리적	地理的
찾아오다	訪ねてくる
충분하다	十分だ
특별하다	特別だ
평야	平野

全州ビビンバ 5

1 先週全州に行って来ました。全州は全羅北道の中心都市として静かできれいな都市です。2 食べ物が美味しいところとして有名です。地理的に平野と山、川と海がみな近いのでさまざまな食材を手に入れやすいです。3 だから全州に行くと美味しい食べ物をたくさん食べることができます。最も有名な食べ物は全州ビビンバです。4 美味しい食べ物を味わおうと全国から多くの観光客が訪ねてきます。

対馬 6

1 忙しくて遠くに旅行する時間がありませんか。では対馬に一度来てみてください。2 対馬は韓国からいちばん近い日本の島です。釜山から南へ50kmしか離れていません。3 対馬には青い海と美しい山があって対馬でしか食べることができない特別な食べ物も多いです。4 釜山から船で1時間あれば十分です。対馬へいらっしゃれば楽しい時間を過ごすことができます。対馬で会いましょう。

3) 떨어지다 : ①(空間的に)離れる、②落ちる、散る、③(試験などに)落ちる、④(使い切って)なくなる、⑤(値段、価値、気温、評判などが)下がる、落ちる

・가족과 떨어져 산다. 家族と離れて暮らす。
물방울이 떨어진다. 水滴が落ちる。 꽃이 떨어진다. 花が散る。
선거에 떨어졌다. 選挙に落ちた。 용돈이 떨어졌다. 小遣いがなくなった。
물건이 떨어져서 못 샀다. 品切れで買えなかった。
기온이 떨어졌다. 気温が下がった。
채솟값이 떨어졌다. 野菜価格が下がった。

7 배낭여행

048

❶ 대학교에 들어간 후에 유럽으로 혼자 배낭여행을 가려고 계획을 했다. ❷ 그래서 1년 반 동안 열심히 아르바이트를 해서 돈을 모았다. 2학년 여름 방학 때 드디어 한 달 동안 배낭여행을 떠날 수 있게 되었다. ❸ 미리 인터넷에서 호텔도 예약하고 비행기도 예약해서 계획한 일정대로 싸게 여행을 할 수 있었다. ❹ 혼자 여행이라서 불안할 때도 있었지만 자유롭게 모든 것을 내가 선택할 수 있어서 참 좋았다.

8 여행 계획

049

❶ 해외여행을 하려면 계획을 세워[4)] 준비를 해야 한다. 먼저 여행 날짜와 장소를 정하고 비행기표와 호텔을 예약한다. ❷ 인터넷을 이용하면 비행기표나 호텔을 싸게[5)] 예약할 수 있다. ❸ 그러나 너무 싼 것만 찾는 것은 좋지 않다. 호텔은 관광이나 이동에 편리한 곳을 찾는 것이 중요하다. ❹ 그 다음에는 가지고 갈 물건들을 준비한다. 물건은 꼭 필요한 것만 가져가는 게 좋다.

어휘와 표현

계획	計画
계획하다	計画する
꼭	必ず
날짜	日にち、日付
미리	前もって
배낭여행	バックパック旅行
불안하다	不安だ
비행기표	飛行機のチケット
선택하다	選択する
세우다	立てる
예약하다	予約する
유럽	ヨーロッパ
이동	移動
일정	日程、スケジュール
자유롭다	自由だ
장소	場所
참	とても、本当に
해외여행	海外旅行
대로	～のとおり

バックパック旅行 7

1 大学に入った後、ヨーロッパに一人でバックパック旅行をしようと計画をした。2 そのために1年半の間一生懸命にバイトをしてお金を貯めた。2年生の夏休みの時についに1か月間バックパック旅行に行けるようになった。3 前もってインターネットでホテルも予約し、飛行機も予約して、計画したスケジュール通りに安く旅行ができた。4 一人旅なので心細い時もあったが、自由にすべてのことを自分で選択することができてとてもよかった。

旅行計画 8

1 海外旅行をしようとすれば計画を立てて準備をしなければならない。まず旅行の日にちと場所を決めて飛行機のチケットとホテルを予約する。2 インターネットを利用すると飛行機のチケットやホテルを安く予約できる。3 しかし、あまり安いものばかり探すのはよくない。ホテルは観光や移動に便利なところを探すのが大事だ。4 次は持って行くものを用意する。荷物は必ず必要なものだけを持って行ったほうがよい。

••••••••••••••••••••••••••••

4) 세우다：①立てる、起こす、立たせる、②(動いているものを)止める、③建てる
・무릎을 세우다. 膝を立てる。 학생을 세우다. 学生を立たせる。
계획을 세우다. 計画を立てる。 큰 뜻을 세우다. 大きな志を立てる。
버스를 세우다. バスを止める。 기계를 세우다. 機械を止める。
빌딩을 세우다. ビルを建てる。 동상을 세우다. 銅像を建てる。

5) 싸다：①安い、②包む、包装する、③(弁当を)つくる
・과일이 싸다. 果物が安い。 포장지로 싸다. 包装紙で包む。
매일 도시락을 싸 가지고 온다. 毎日弁当をつくってくる。

9 제주 올레길

050

1 제주도의 올레길[6] 이란 산책길을 말한다. 바닷가나 산길을 따라 코스가 정비되어 있어서 주변의 경치가 아름답고 조용하다. **2** 바람 소리를 들으면서 길옆의 꽃과 나무를 즐길 수 있다. **3** 바다 냄새를 맡으면서[7] 해안 길을 걸을 수도 있다. 혼자 온 사람들도 길에서 만난 사람들과 친구가 되기도 한다. **4** 아름다운 자연에 둘러싸인 제주도의 또 다른 얼굴을 느낄 수 있다.

10 온천

051

1 땅 속에서 높은 온도로 데워진 물이 자연적으로 솟아나는 것을 온천이라고 한다. **2** 온천에서 목욕을 하면 피로가 풀리고 건강에도 좋다. 한국에는 온천이 많지 않다. **3** 온양온천, 도고온천, 수안보온천과 같이 유명한 온천은 한 손으로 꼽을 정도밖에 없다. **4** 그 대신 화산이 없고 지진도 거의 발생하지 않는다. **5** 그래서 요즘은 온천을 즐기러 한국에서 가까운 일본 규슈지방으로 여행을 가는 사람들이 늘고 있다.

어휘와 표현

경치	景色	둘러싸이다	囲まれる	자연적으로	自然に
규슈지방	九州地方	땅	土	정비되다	整備される
길옆	道沿い、道端	목욕하다	風呂に入る	주변	周辺
꼽다	(指を)折って数える	발생하다	発生する	지진	地震
냄새	におい	솟아나다	湧き出る	피로가 풀리다	疲れがとれる
늘다	増える	온천	温泉	해안	海岸
대신	代わり	올레길	散策路	화산	火山
데워지다	温まる	자연	自然		

済州オルレギル 9

1 済州島のオルレギルとは散策路のことを言う。海辺や山道に沿ってコースが整備されていて、周辺の景色が美しく静かだ。2 風の音を聞きながら道沿いの花と木を楽しむことができる。3 海の匂いを嗅ぎながら海岸の道を歩くこともできる。一人で来たひとたちも道で会った人たちと友だちになったりする。4 美しい自然に囲まれた済州島のまた違った表情を感じることができる。

温泉 10

1 地中から高い温度で温められた水が自然に湧き出るものを温泉と言う。2 温泉で入浴すると疲れが取れて健康にもよい。韓国には温泉が多くない。3 温陽温泉、道高温泉、水安堡温泉のように有名な温泉は片手で数えるほどしかない。4 その代わり火山がなく、地震もほとんど発生しない。5 それで最近は温泉を楽しみに韓国から近い日本の九州地方に旅行に行く人が増えている。

6) 올레길：済州島の方言で「狭い路地」の意を持つ「올레」から由来する。主に済州島の海岸地域、山、野原などを回るハイキングコースのことを言う。

7) 맡다：①(においを)嗅ぐ、②受け持つ、担当する、③(許可などを)取る、受ける、④預かる、保管する

・냄새를 맡았다. においを嗅いた。　담임을 맡다. 担任を受け持つ。
회계를 맡다.　会計は担当する。　허가를 맡다. 許可を受ける。
짐을 맡아 주는 곳　荷物を預かってくれる所

第6章

취미

趣味

1 축구 동아리

052

1 우리 동아리는 한국에서 공부하는 외국 유학생들이 만든 축구 동아리입니다. **2** 축구를 좋아하는 친구들이 모여서 일요일마다 축구를 합니다. 오후 세 시부터 축구 연습을 하고, 연습이 끝난 후에는 같이 저녁을 먹습니다. **3** 가끔 축구장에 가서 프로팀의 시합을 보고 응원도 합니다. 동아리에는 어려운 일이 있으면 서로 도와주는 고마운 친구들이 많습니다. **4** 매주 이런 친구들과 만날 때가 행복한 시간입니다.

2 애완동물

053

1 내 취미는 애완동물[1)]을 기르는 것입니다. 사람들은 보통 강아지나 고양이나 새를 애완동물로 기릅니다. **2** 그렇지만 나는 도마뱀을 기릅니다. 겉모습은 조금 무서워 보이지만 성격도 온순하고 귀엽습니다. **3** 독은 전혀 없어서 사람에게 해를 주지 않습니다. 도마뱀의 먹이는 주로 작은 곤충입니다. **4** 풀잎이나 이끼도 먹습니다. 나는 도마뱀을 위해서 예쁜 집을 만들어 주었습니다.

어휘와 표현

강아지	子犬	동아리	サークル	이끼	コケ(苔)
겉모습	外見	서로	互いに	전혀	まったく
고맙다	有難い	성격	性格	축구	サッカー
곤충	昆虫	시합	試合	축구장	サッカー場
기르다	飼う	애완동물	ペット	풀잎	草の葉
도와주다	手伝う	온순하다	大人しい	해를 주다	害を与える
독	毒	응원	応援	행복하다	幸せだ

サッカーサークル　1

[1] 私のサークルは韓国で勉強している外国の留学生たちが作ったサッカーサークルです。[2] サッカーが好きな友だちが集まって日曜日ごとにサッカーをします。午後3時からサッカーの練習をして、練習が終わった後は一緒に夕食を食べます。[3] たまにサッカー場に行ってプロチームの試合を見て応援もします。サークルには困ったことがあれば互いに助けてくれるありがたい友だちが多いです。[4] 毎週こういう友だちと会うときが幸せな時間です。

ペット　2

[1] 私の趣味はペットを飼うことです。人々は普通子犬や猫や鳥をペットとして飼います。[2] しかし、私はとかげを飼っています。外見は少し怖く見えますが、性格もおとなしくてかわいいです。[3] 毒はまったくないので人に害を与えません。とかげのエサは主に小さな昆虫です。[4] 草の葉っぱやコケも食べます。私はとかげのためにかわいい巣を作ってあげました。

■ YouTubeへのリンク先

➔「2000년대 히트곡·1990년대 히트곡·한국 가곡·동아리·뮤지컬」/「2000年代ヒット曲・1990年代ヒット曲・韓国歌曲・サークル・ミュージカル」

*YouTubeのリンク先が変更されている場合は上記のキーワードで検索してください。

■ **主要な文法事項**は、巻末に付録（p.214）としてまとめて収録しています。
巻末の資料1と2の主要助詞、語尾・慣用表現リストを参考にしてください。

3 뮤지컬과 연극 054

1 나는 연기와 춤도 보고 노래도 들을 수 있는 뮤지컬을 좋아합니다 **2** 그래서 가끔 친구들과 같이 극장에 갑니다. 가까이에서 배우들을 볼 수 있는 연극도 좋아합니다. **3** 새로운 공연이 시작될 때마다 보러 가고 싶지만 회사 일이 바빠서 가지 못할 때도 많습니다. **4** 내 남동생은 스포츠를 좋아해서 운동 경기를 자주 보러 갑니다. 여동생은 동아리 친구들과 좋아하는 가수의 콘서트를 보러 자주 갑니다.

4 자전거 동아리 055

1 안녕하세요. 저는 자전거 동아리 회장 김수경입니다. 우리 동아리는 자전거를 좋아하는 사람들의 모임입니다. **2** 토요일마다 모여서 경치가 아름다운 시골길을 골라서[2] 자전거 여행을 갑니다. **3** 그리고 일 년에 한 번은 전국 각지로 일주일 동안 장거리 자전거 여행을 떠납니다[3]. **4** 자전거에 익숙하지 못한 분들도 가입을 환영합니다. 관심 있는 여러분들의 많은 가입을 바랍니다.

어휘와 표현

자전거	自転車、サイクル	익숙하다	慣れている	배우	俳優、役者
모임	集まり	가입	加入	새롭다	新しい
시골길	田舎の道	환영하다	歓迎する	공연	公演
전국	全国	관심	関心	콘서트	コンサート
각지	各地	뮤지컬	ミュージカル	춤	ダンス、踊り
장거리	長距離	연기	演技		

ミュージカルと演劇 3

1 私は演技とダンスも見ることができて歌も聞くことができるミュージカルが好きです。2 それでたまに友だちと一緒に劇場に行きます。近くで俳優たちを見ることができる演劇も好きです。3 新しい公演が始まる度に見に行きたいのですが、会社の仕事が忙しくて行けないときも多いです。4 私の弟はスポーツが好きで運動競技をよく見に行きます。妹はサークルの友だちと好きな歌手のコンサートをよく見に行きます。

自転車サークル 4

1 こんにちは。私は自転車サークルの会長キムスギョンです。私たちのサークルは自転車が好きな人たちの集まりです。2 土曜日ごとに集まって景色が美しい田舎道を選んでツーリングに出かけます。3 そして1年に1回は全国各地へ1週間長距離ツーリングに出かけます。4 自転車に慣れていない方々のご加入も歓迎します。興味のある皆さんの多くのご加入をお待ちしています。

1) 「애완동물」は愛玩動物、ペットのことを言うが、最近は「반려동물」(伴侶動物)、「반려견」(伴侶犬)のような言葉で使われることが多い。

2) 고르다：①選ぶ、②均一だ、均等だ、③穏やかだ、順調だ、④ならす

・정답을 고르다.	正答を選ぶ。
사과를 고르다.	リンゴを選ぶ。
고르게 나누다.	均等に分ける。
성적이 고르지 않다.	成績が均一でない。
고르지 못한 날씨.	不順な天気。
숨결이 고르다.	息が穏やかだ。(一定している。)

5 종이접기

056

1 내 친구는 종이접기를 잘합니다. 비행기도 접을 수 있고 배도 접을 수 있습니다. **2** 어제는 예쁜 꽃과 귀여운 강아지를 접었습니다. 친구들 생일 때마다 동물들을 귀엽게 접어서 선물합니다. **3** 친구들이 모두 좋아합니다. 이렇게 무엇이든지 접을 수 있는 친구가 부러웠습니다. **4** 그래서 나도 종이접기를 배워 보려고 서점에서 종이접기 책을 샀습니다. 저녁마다 디자인과 설명을 보면서 종이접기를 연습할 겁니다.

6 동호회

057

1 한국에서는 취미가 같은 사람들이 모여서 여러 가지 ‘동호회' 를 만듭니다. **2** 영화 보는 것을 좋아하는 사람들은 영화 동호회, 축구하는 것을 좋아하는 사람들은 축구 동호회, 만화를 좋아하는 사람들은 만화 동호회처럼 취미에 따라 여러 가지 동호회를 만듭니다. **3** 사람들은 동호회에서 좋아하는 것을 함께 합니다. **4** 요즘은 인터넷을 이용해서 회원을 모집할 수 있기 때문에 동호회를 만들기가 쉽습니다.

어휘와 표현

동물	動物	부럽다	うらやましい	접다	折る
동호회	同好会	서점	書店	종이접기	折り紙
만화	漫画	설명	説明	축구	サッカー
모이다	集まる	여러 가지	各種、いろいろ	취미	趣味
모집하다	募集する	연습하다	練習する	회원	会員

折り紙 5

[1] 私の友だちは折り紙が上手です。飛行機も折ることができるし、船も折ることができます。[2] 昨日はきれいな花とかわいい子犬を折りました。友だちの誕生日の度に動物をかわいく折ってプレゼントします。[3] 友だちはみんな喜びます。このように何でも折れる友だちが羨ましかったです。[4] そこで私も折り紙を習ってみようと書店で折り紙の本を買いました。毎晩デザインと説明を見ながら折り紙を練習するつもりです。

同好会 6

[1] 韓国では趣味が同じ人たちが集まってさまざまな同好会を作ります。[2] 映画を見るのが好きな人たちは映画同好会、サッカーが好きな人たちはサッカー同好会、マンガが好きな人たちはマンガ同好会のように趣味によってさまざまな同好会を作ります。[3] 人々は同好会で好きなことを一緒にやります。[4] 最近はインターネットを利用して会員を募集することができるので同好会が作りやすいです。

3) 떠나다：①発つ、移っていく、②(関係を)やめる、離れる、去る、③死ぬ

・미국으로 떠났다.	米国へ発った。
내일 떠날 예정이다.	明日出発する予定だ。
삼월에 교단을 떠난다.	3月に教員をやめる。
이해관계를 떠나서 의논한다.	利害関係を離れて相談する。
세상을 떠난 지 삼 년이 되었다.	亡くなってから3年がたつ。

7 취미 활동

058

❶ "직장인은 피곤하다." 이 말처럼 대부분의 직장인들은 피곤하다. ❷ 밤늦게까지 일을 하고 또 매일 비슷한 일을 하기 때문이다. ❸ 그러나 직장 생활을 재미있게 할 수 있는 방법도 있다. 그것은 직장 사람들과 취미 활동을 함께 하는 것이다. ❹ 일이 끝난 후에 같은 취미를 가진 사람들과 모여서 좋아하는 활동을 하면 피곤한 직장 생활이 즐겁게 바뀔 것이다.

8 영화를 즐기는 모임

059

❶ 오늘 '일본 영화를 좋아하는 사람들' 이라는 모임에서 연락이 왔다. ❷ 이번 달 첫[4] 번째 모임이 다음 주 금요일에 있을 거라고 했다. ❸ 이 모임은 일본 영화를 보면서 일본어와 일본 문화를 공부하는 모임이다. ❹ 한 달에 두 번 모여서 함께 영화를 감상한다. 일본 영화를 좋아하는 사람은 누구든지 모임에 들어갈 수가 있다. ❺ 영화도 보고 공부도 하고, 같은 취미를 가진 친구들도 만날 수 있어서 좋은 것 같다.

어휘와 표현

감상하다	鑑賞する	바뀌다	変わる	직장 생활	社会勤め
대부분	大部分、ほとんど	밤늦다	夜遅い	직장인	サラリーマン
모이다	集まる	방법	方法	첫 번째	1回目
모임	集まり、サークル	비슷하다	ほぼ同じだ	취미	趣味
문화	文化	연락	連絡	활동	活動

趣味活動 7

1 「サラリーマンは疲れる。」この言葉のようにほとんどのサラリーマンは疲れている。2 夜遅くまで仕事をして、また毎日同じように仕事をしているからだ。3 しかし会社勤めを楽しくする方法もある。それは会社の人たちと趣味活動を一緒にすることだ。4 仕事が終わってから同じ趣味を持った人たちと集まって、好きな活動をすれば疲れる会社勤めが楽しく変わるだろう。

映画愛好会 8

1 今日、「日本の映画が好きな人たち」というサークルから連絡が来た。2 今月の1回目の会合が来週金曜日にあると言われた。3 このサークルは日本の映画を見ながら日本語と日本文化を勉強する集まりだ。4 1か月に2回集まって一緒に映画を鑑賞する。日本の映画が好きな人は誰でもサークルに入ることができる。5 映画も観て勉強もできるし、同じ趣味を持った友だちにも出会えるのでよいと思う。

4) 첫：(連体詞)初めての、最初の、初の、第一の

・첫 작품 初めての作品　첫 출근 初出勤　첫 만남 最初の出会い
　첫 월급 初月給　첫 장면 最初の場面　첫 번째 1番目

・次のような単語は「첫」と結合してできた合成語なので分かち書きをしない。

첫눈	初雪	첫날	初日	첫째	1番目
첫눈	一目(で)	첫사랑	初恋	첫인사	初対面のあいさつ
첫차	始発	첫걸음	第一歩	첫무대	初舞台
첫서리	初霜	첫해	初年	첫마디	最初の一言

9 취미와 건강

060

❶ 누구나 한두[5] 가지 취미쯤은 있을 것 같지만 의외로 취미가 아무것도 없는 사람이 많다. ❷ 취미가 있는 사람은 취미가 없는 사람보다 건강하게 오래 살 수 있다. 취미 생활을 하면서 스트레스를 풀 수 있기 때문이다. ❸ 그리고 취미가 같은 사람들과 만나서 즐거운 시간을 보낼 수도 있다. ❹ 노후에도 건강하게 살고 싶으면 자기의 성격에 맞는[6] 취미를 한두 가지 가지는 것이 좋다.

10 가족 캠핑

061

❶ 요즘 산이나 들로 가족이 함께 떠나는 가족 캠핑이 유행하고 있다. ❷ 예전에는 가족을 위해 돈을 버는 일이 아버지의 역할이라고 생각했지만, 요즘은 아이들과 함께 시간을 보내는 일을 더 중요하게 생각하는 사람들이 많아졌다. ❸ 특히 도시에 사는 부모들은 시간이 있을 때 아이들이 자연을 체험할 수 있는 곳으로 캠핑을 간다. ❹ 가족끼리 맛있는 음식도 해 먹고, 이야기를 나누면서 추억을 만든다.

어휘와 표현

가지다	持つ	스트레스	ストレス	캠핑	キャンプ
건강하다	健康だ	역할	役割、役目	특히	特に
노후	老後	유행하다	流行る	풀다	解消する
들	野原	의외로	以外に	한두	一つや二つ
떠나다	発つ、行く	자연	自然	-끼리	～同士
벌다	稼ぐ	체험	体験		
성격에 맞다	性格に合う	추억	思い出		

趣味と健康 9

1 誰でも一つや二つの趣味ぐらいはありそうだけど、意外と趣味が何もない人が多い。**2** 趣味のある人は趣味のない人より元気に長く生きることができる。趣味活動をしながらストレスを解消することができるからだ。**3** そして趣味が同じ人たちと会って楽しい時間を過ごすこともできる。**4** 老後も元気に暮らしたければ自分の性格に合う趣味を一つや二つ持ったほうがよい。

家族キャンプ 10

1 最近、山や野原へ家族で一緒に出かける家族キャンプが流行っている。**2** 昔は家族のためにお金を稼ぐことがお父さんの役割だと考えていたが、最近は子供たちと一緒に時間を過ごすことをもっと大切に思う人たちが多くなった。**3** 特に都会に住んでいる親たちは時間があるとき、子供たちが自然を体験できるところへキャンプに行く。**4** 家族で美味しい料理を作って食べて、話をしながら思い出を作る。

5) 概数詞(いくつかの数量を表わす語)：한둘(한두) 一つか二つ(の)、두셋(두세) 二つか三つ(の)、서넛(서너) 三つか四つ(の)、두서넛(두서너) 二つか三つか四つ(の)、네댓(너댓/ 네다섯) 四つか五つ(の)、대여섯 五つか六つ(の)、예닐곱 六つか七つ(の)、일고여덟(일여덟) 七つか八つ(の)
두세 그릇 2～3杯　서너 시간 3～4時間　대여섯 종류 5～6種類

6) 맞다：①合う、一致する、②正しい、間違いない、③迎える、④殴られる
・성격에 맞다. 性格に合う。　답이 맞다. 答えが正しい。
뜻이 맞다. 志が一致する。　새해를 맞다. 新年を迎える。
엉덩이를 맞다. お尻を叩かれる。

第7章

운동

運動

1 아침 산책

062

1 나는 아침 일찍 일어나 공원에서 조깅을 합니다. 천천히 달리면서 그날 해야 할 일을 생각합니다. **2** 아침은 집 근처의 빵집에서 빵과 우유로 간단히 먹습니다. 식사를 하면서 신문을 읽습니다. **3** 그리고 하루에 여덟 시간 외국 은행에서 일을 합니다. 일이 끝나면 헬스클럽에 운동을 하러 갑니다. **4** 땀을 흘리면서 운동을 하는 이 시간이 나에게는 가장 행복한 시간입니다.

2 수영과 테니스

063

1 나는 운동을 좋아합니다. 그래서 시간이 날 때마다 운동을 합니다. **2** 주말에는 거의 운동을 하면서 시간을 보냅니다. 수영도 하고 테니스도 칩니다[1]. **3** 일요일에는 축구 동호회의 사람들과 모여서 축구도 합니다. 농구나 배구, 축구 경기를 보러 가기도 합니다. **4** TV로 여러 가지 운동 경기를 보는 것도 좋아합니다. 운동은 힘들기도 하지만 땀을 흘린 뒤에는 기분도 좋고 몸도 가볍게 느껴집니다.

어휘와 표현

가볍다	軽い	농구	バスケットボール	조깅	ジョギング
간단히	簡単に	느껴지다	感じられる	축구	サッカー
경기	競技、試合	달리다	走る	테니스를 치다	テニスをする
거의	ほとんど、ほぼ	땀을 흘리다	汗を流す	행복하다	幸せだ
그날	その日	배구	バレーボール	헬스클럽	スポーツジム
기분	気分	외국	外国		

朝の散歩 1

1 私は朝早く起きて公園でジョギングをします。ゆっくり走りながらその日にやるべきことを考えます。2 朝食は家の近くのパン屋でパンと牛乳で簡単に済ませます。食事をしながら新聞を読みます。3 そして一日に8時間外国の銀行で働きます。仕事が終わるとスポーツジムに運動をしに行きます。4 汗を流しながら運動をするこの時間が私にはいちばん幸せな時間です。

水泳とテニス 2

1 私は運動が好きです。だから時間が空く度に運動をします。2 週末はほとんど運動をしながら時間を過ごします。水泳もし、テニスもします。3 日曜日にはサッカー同好会の人たちと集まってサッカーもします。バスケットボールやバレーボール、サッカーの試合を見に行ったりします。4 テレビでいろいろな運動競技を見ることも好きです。運動は大変ですが、汗を流した後は気持ちもよく、体も軽く感じられます。

■ YouTubeへのリンク先
➜「태권도・유산소운동・한국의 명산・청정 해수욕장」
「テコンドー・有酸素運動・韓国の名山・海水浴場」
*YouTubeのリンク先が変更されている場合は上記のキーワードで検索してください。

■ **主要な文法事項**は、巻末に付録（p.214）としてまとめて収録しています。
巻末の資料1と2の主要助詞、語尾・慣用表現リストを参考にしてください。

3 운동을 시작하다

064

1 이제까지 밤늦게 간식을 먹거나 술을 마실 때가 많았습니다. 2 운동은 전혀 하지 않았습니다. 배가 나오고 몸무게가 늘었습니다. 3 이러면 안 되겠다고 생각해서 일 주일 전부터 운동을 하기 시작했습니다. 걷기 운동입니다. 4 운동을 하기 위해서 아침에 한 시간 일찍 일어납니다. 집에서 30분쯤 걸어가면 공원이 있는데 거기까지 갔다가 돌아옵니다. 5 첫날은 너무 힘이 들었는데 점점 익숙해지고 있습니다.

4 해수욕

065

1 방학이 되어서 시골 할머니 댁에 와 있습니다. 할머니 댁에서 멀지 않은 곳에 해수욕장이 있습니다. 2 사람들이 별로 오지 않기 때문에 조용히 해수욕을 즐길 수 있습니다. 오늘도 그곳으로 수영을 하러 가려고 집을 나섰습니다. 3 날씨가 더워서 반바지를 입고 소매가 없는 셔츠를 입었습니다. 수영복은 가방에 넣어서 어깨에 메었습니다. 4 하얀색 운동화를 신고 선글라스를 끼고 노란색 야구 모자를 썼습니다.

어휘와 표현

간식	間食、おやつ
걷기 운동	ウォーキング
걸어가다	歩いていく
끼다	かける
노란색	黄色
늘다	増える
몸무게	体重
반바지	半ズボン
배가 나오다	お腹が出てくる
별로	あまり
선글라스	サングラス
소매	袖
수영복	水着
시골	田舎
어깨에 메다	肩にかける
운동화	運動靴、スニーカー
익숙하다	慣れている
점점	だんだん
즐기다	楽しむ
첫날	初日
하얀색	白色
해수욕	海水浴
해수욕장	海水浴場

運動を始める　3

1 今まで夜遅くに間食をしたり酒を飲んだりすることが多かったです。2 運動は全然しなかったです。お腹が出てきて体重が増えました。3 こうしていてはいけないと思って1週間前から運動をし始めました。ウォーキングです。4 運動をするために朝は一時間早く起きます。家で30分ぐらい歩いて行くと公園がありますが、そこまで行って帰って来ます。5 初日はとても大変でしたが、だんだん慣れています。

海水浴　4

1 休みになって田舎の祖母の家に来ています。祖母の家から遠くないところに海水浴場があります。2 人があまり来ないので静かに海水浴を楽しむことができます。今日もそこへ泳ぎに行こうと家を出ました。3 暑いので半ズボンをはいて袖のないシャツを着ました。水着はカバンに入れて肩にかけました。4 白いスニーカーをはいてサングラスをかけて黄色い野球帽をかぶりました。

1) 치다：①打つ、たたく、②弾く、③(球技を)する、④振る、⑤(線を)引く、⑥(試験を)受ける、⑦(液・粉を)かける、⑧吹きつける、⑨光る、落ちる

・손뼉을 치다.	手をたたく。	북을 치다.	太鼓を打つ。
피아노를 치다.	ピアノを弾く。	탁구를 치다.	卓球をする。
날개를 치다.	羽ばたく。	꼬리를 치다.	尻尾を振る。
줄을 치다.	線を引く。	시험을 치다.	試験を受ける。
소금을 치다.	塩を振りかける。	식초를 치다.	酢を振りかける。
눈보라가 치다.	吹雪が吹きまくる。	번개가 치다.	稲妻が光る・走る。

5 등산

066

❶ 도시인들에게 인기가 있는 여가 활동은 등산입니다. 주말이나 휴일이 되면 서울 근교의 산은 산을 찾아온 사람들로 붐빕니다. ❷ 운동 부족도 해소하고 산속의 맑은 공기를 마시면 기분 전환도 되기 때문에 인기가 높습니다. ❸ 또한 자동차로 가족끼리 당일치기 여행을 가는 사람들도 많습니다. ❹ 그래서 주말에는 고속도로가 주차장으로 변할 정도로 차가 많이 밀리기도 합니다.

6 가벼운 운동을

067

❶ 건강을 위해 운동을 하는 사람들 중에는 아침부터 무리하게 운동을 하는 사람들도 적지[2)] 않습니다. ❷ 그런데 우리 몸은 밤새 쉬고 나면 운동에 적응할 준비가 되어 있지 않기 때문에 아침에 운동을 심하게 하면 다치기 쉽고, 몸에 문제가 생길 수 있습니다. ❸ 따라서 아침에는 맨손[3)] 체조나 산책과 같은 가벼운 운동만 하고 심한 운동은 오후에 하는 것이 좋습니다. ❹ 또한 피곤할 때는 무리하지 말고 쉬는 것도 중요합니다.

어휘와 표현

고속도로	高速道路
공기	空気
근교	近郊
다치다	怪我する
당일치기	日帰り
도시인	都会人
맨손	素手、徒手
무리하다	無理する
밤새	夜の間
부족	不足
붐비다	混む
산속	山の中
심하다	行き過ぎる
여가	レジャー
적응하다	適応する
차가 밀리다	車が渋滞する
체조	体操
해소하다	解消する

登山　5

1 都会の人たちに人気があるレジャー活動は登山です。週末や休日になるとソウル近郊の山は、山を訪れた人たちで混雑します。2 運動不足も解消し、山の中の澄んだ空気を吸うと気分転換にもなるから人気が高いです。3 また自動車で家族と一緒に日帰り旅行に行く人も多いです。4 だから週末は高速道路が駐車場に変わるほど車が渋滞したりします。

軽い運動を　6

1 健康のために運動をする人たちの中には朝から過度に運動をする人たちも少なくありません。2 ところが私たちの体は夜の間、休んでからは運動に適応する準備ができていないので、朝に運動を過度にすると怪我をしやすく、体に問題が生じる可能性があります。3 したがって朝は徒手体操や散歩のような軽い運動だけをして激しい運動は午後にしたほうがよいです。4 また疲れているときは無理をせず休むことも大事です。

2) 적다 : ①少ない、②書く、記す、したためる、記録する
・친구가 적다. 友人が少ない。　이름을 적다.　名前を書く。
　일기를 적다. 日記を書く。　가계부를 적다. 家計簿をつける。
3) 맨- : 一部の名詞の前に付いて、何も混ざっていないありのままの「素ー」の意を表わす。
・맨눈 肉眼、맨발 素足・はだし、맨땅 地べた、맨몸 裸・手ぶら、맨밥 おかず無しのご飯、맨살 素肌、맨손 素手・手ぶら、맨주먹 素手・空拳・無一文

7 태권도

068

1 태권도는 나이에 관계없이[4] 누구나 쉽게 배울 수 있는 운동이다. **2** 또한 몸뿐만 아니라 정신 건강에도 좋고 넓지 않은 공간에서도 할 수 있다. **3** 특히 자신감을 갖게 하기 위해 아이들에게 배우게 하는 부모들이 많다. **4** 또한 자기 몸을 보호할 수 있고 건강에도 도움이 되기 때문에 젊은 여성들에게도 인기가 있다. **5** 올림픽에서도 정식 경기 종목으로 채택되어 있어서 태권도를 배우러 유학을 오는 외국인들도 많다.

8 운동은 30분이상을

069

1 운동을 할 때는 일정한 시간을 지속적으로 하는 것이 중요하다. **2** 사람의 몸은 유산소 운동을 시작해서 20분이 지나야 비로소 체지방을 분해하기 시작하기 때문이다. **3** 따라서 적어도 30분 이상 지속해야만 체지방 감소의 효과를 얻을 수 있다. **4** 또한 최소한 일주일에 3회 정도 꾸준히 해야 효과를 볼 수 있다. **5** 주 5회 이상 할 경우에는 체중 부담이 있는 운동과 체중 부담이 없는 운동을 번갈아[5] 하는 것이 좋다.

어휘와 표현

감소	減少	보호하다	保護する	정식	正式
경기 종목	競技種目	부담	負担	정신	精神
공간	空間	분해하다	分解する	지속적	持続的
관계없이	関係なく	비로소	やっと	지속하다	持続する
꾸준히	たゆまず	얻다	得る	채택되다	採択される
도움이 되다	役に立つ	유산소	有酸素	체중	体重
따라서	したがって	일정하다	一定する	체지방	体脂肪
번갈아	交互に	자신감	自信	효과	効果

テコンドー 7

1 テコンドーは年齢に関係なく誰でも簡単に習えるスポーツだ。2 また体だけではなく精神健康にもよく、広くない空間でもできる。3 特に自信を持たせるために子供に習わせる親が多い。4 また自分の身を守ることができて、健康にも役に立つので若い女性たちにも人気がある。5 オリンピックでも正式の競技種目として採択されているのでテコンドーを習いに留学に来る外国人も多い。

運動は30分以上を 8

1 運動をするときは一定の時間を持続的にすることが大事だ。2 人の体は有酸素運動を始めて20分が経ってからやっと体脂肪を分解し始めるからだ。3 したがって少なくとも30分以上続けなければ体脂肪の減少の効果は得られない。4 また最小限1週間に3回ぐらい続けないと効果が得られない。5 週5回以上する場合は、体重負担がかかる運動と体重負担がかからない運動を交互にしたほうがよい。

4) −에 관계없이／−에 상관없이 ：～に関係なく、～にかかわらず
- 날씨에 관계없이. 天候に関わらず。　성별에 관계없이. 性別に関係なく。
  계절에 상관없이. 季節に関係なく。　나이에 상관없이. 年齢に関係なく。

5) 번갈아/ 번갈아서/ 번갈아 가며：交互に、代わる代わる、代わり番こに
- 번갈아 운전하다.　代わる代わる運転する。
  번갈아 일하다.　交代で働く。
  번갈아서 사용하다.　交代で使用する。
  번갈아 가며 이야기하다.　代わり番こに話す。

9 지면 어쩌나 070

1 운동선수들은 '지면 어쩌나' 하고 걱정을 하다 보면 경기에 집중할 수 없고 실제로 지게 될 가능성이 크다고 한다. 2 그래서 대부분의 운동선수들은 스포츠 심리학의 도움을 받아 승리한 자신의 모습을 상상하는 훈련을 한다. 3 승리에 대한[6] 상상이 걱정을 없애 자신감 있게 경기에 참여할 수 있게 한다. 4 기술적인 훈련이나 육체적인 관리뿐만이 아니라 심리적인 면에서도 과학적인 훈련이 필요하다.

10 유산소 운동 071

1 운동을 단순한 취미나 여가 활동으로서가 아니라 건강을 위해 시작하는 사람들이 많다. 2 운동 중에서 사람들이 쉽게 시작할 수 있는 운동으로 유산소 운동이 있다. 3 유산소 운동은 편안한 호흡을 유지하면서 하는 운동으로, 호흡을 통해 산소를 공급 받아 에너지를 발생시키는 운동이다. 4 가벼운 체조, 달리기, 걷기, 수영, 자전거 타기, 등산 등이 이에 속하는데, 체지방을 태우는[7] 데 매우 효과적이다.

어휘와 표현

가능성	可能性	산소	酸素	육체적	肉体的
공급	供給	상상하다	想像する	지다	負ける
과학적	科学的	승리하다	勝利する	집중하다	集中する
관리	管理	심리적	心理的	참여하다	参加する
기술적	技術的	심리학	心理学	태우다	燃やす
단순하다	単純だ	에너지	エネルギー	호흡	呼吸
면	面、一面	유산소	有酸素	효과적	効果的
발생시키다	発生させる	유지하다	維持する	훈련	訓練

負けたらどうしよう 9

1 アスリートは「負けたらどうしよう」と心配をしていると競技に集中することができなくて実際に負けるようになる可能性が大きいと言う。2 だからほとんどのアスリートはスポーツ心理学のサポートを受けて、勝利した自分の姿を想像する訓練をする。3 勝利に対する想像が、心配を無くし、自信を持って競技に参加できるようにする。4 技術的な訓練や肉体的な管理だけでなく心理的な面でも科学的な訓練が必要だ。

有酸素運動 10

1 運動を単純な趣味やレジャー活動としてではなく健康のために始める人が多い。2 運動の中で人々が簡単に始められる運動として有酸素運動がある。3 有酸素運動は楽な呼吸を維持しながらする運動で、呼吸を通して酸素の供給を受けてエネルギーを発生させる運動だ。4 軽い体操、ジョギング、ウォーキング、水泳、サイクリング、登山などがこれに属するが、体脂肪を燃やすのに非常に効果的だ。

6) −에 대하여·−에 대해(서)·−에 대한：～について·～に対して/～に関する
·그 사건에 대하여. その事件について。 정치에 대해서. 政治に対して。
이 문제에 대한 사람들의 생각. この問題に関する人々の考え。

7) 태우다：①燃やす、焼く、②焦がす、③心を悩ます、気をもむ、④乗せる

·낙엽을 태우다.	落ち葉を焼く。	쓰레기를 태우다.	ごみを燃やす。
피부를 태우다.	肌を焼く。	밥을 태우다.	ご飯を焦がす。
사람을 태우다.	人を乗せる。	배에 태우다.	船に乗せる。
애를 태우다.	気をもむ。	속을 태우다.	胸を焦がす。

仕事
教育
家族
人・関係
文化
生活一般
案内
事件・事故

第8章

건강

健康

1 건강에 대한 관심 072

1 건강에 대한 관심이 높아지고 있습니다. 사람들은 회사까지 걸어가기도 하고 자전거를 타고 가기도 합니다. 2 커피를 마시지 않는 사람들도 있습니다. 요즘은 나도 건강에 관심이 많아졌습니다. 3 전에는 가까운 거리도 차를 타고 다녔지만 이제는 걸어 다닙니다. 일찍 자려고 노력하고 일주일에 두세 번 운동을 합니다. 4 담배를 피우고 싶으면 껌을 씹고, 커피를 마시고 싶으면 물을 마십니다.

2 눈의 피로를 풀려면 073

1 오랫동안 책을 읽거나 컴퓨터를 오래 사용해서 눈이 피로해졌을 때는 눈 운동을 하면 좋습니다. 2 눈을 감고[1] 손가락[2] 두 개로 눈 위를 눌러 줍니다. 이렇게 3초씩 서너 번 되풀이한 다음 눈동자를 위아래로, 좌우로 돌립니다. 3 또 찬물로 눈을 씻거나 가끔 멀리 있는 경치를 바라보는 것도 좋습니다. 4 컴퓨터나 스마트폰의 지나친 사용으로 눈을 혹사하기 쉽습니다. 의식적으로 가끔씩 눈을 쉬게 해야 합니다.

어휘와 표현

경치	景色
관심	関心
껌을 씹다	ガムをかむ
누르다	押す
눈을 감다	目を閉じる
돌리다	回す
되풀이하다	繰り返す
바라보다	眺める
서너 번	3〜4回
씩	ずつ
오래	長く
오랫동안	長い間
의식적	意識的
전	以前、前
좌우	左右
지나치다	度を超す
찬물	冷たい水
초	秒
피로하다	疲れている
혹사하다	酷使する

健康に対する関心　1

1 健康に対する関心が高まっています。人々は会社まで歩いて行ったり自転車に乗って行ったりします。2 コーヒーを飲まない人たちもいます。最近は私も健康に関心が高くなってきました。3 以前は近い距離も車に乗って通いましたが、いまは歩いて通っています。早く寝ようと努力し、1週間に2～3回運動をします。4 タバコが吸いたくなるとガムを噛み、コーヒーが飲みたくなったら水を飲みます。

目の疲れをとるには　2

1 長時間本を読んだりパソコンを長く使ったりして目が疲れたときは目の運動をするとよいです。2 目をつぶって指2本で目の上を押します。このように3秒ずつ3～4回繰り返した後、瞳を上下に、左右に動かします。3 また冷たい水で目を洗ったりたまに遠くの景色を眺めたりすることもよいです。4 パソコンやスマートホンの過度な使用で目を酷使しやすいです。意識的にときどき目を休ませなければなりません。

■ YouTubeへのリンク先
➜「걷기 운동・눈의 피로・월요병・발 건강・체조」
「ウォーキング・目の疲れ・月曜病・足の健康・体操」
＊YouTubeのリンク先が変更されている場合は上記のキーワードで検索してください。

■ **主要な文法事項**は、巻末に付録（p.214）としてまとめて収録しています。
巻末の資料1と2の主要助詞、語尾・慣用表現リストを参考にしてください。

3 발을 편하게

074

❶ 발이 편해야 몸도 편합니다. 발을 편하게 하려면 굽이 낮은 구두나 운동화를 신는 것이 좋습니다. ❷ 굽이 높은 신발은 발을 더 피곤하게 할 수 있습니다. 걸을 때에는 가능한 한 천천히 걷는 것보다 빠른 걸음으로 걷는 것이 좋습니다. ❸ 사무실에서 일할 때는 가끔 신발을 벗고 있는 것도 좋습니다. 집에서는 맨발로 생활하는 것도 괜찮습니다. ❹ 발이 피곤하다면 발을 조금 높은 곳에 두고 자면 피곤이 풀립니다.

4 앉는 자세

075

❶ 허리가 아파서 병원을 찾는 사람이 늘고 있습니다. 이런 사람들은 앉는 습관이 잘못된 경우가 많습니다. ❷ 앉는 습관을 바꾸면 아픈 것을 쉽게 고칠 수 있습니다. 컴퓨터 앞에 앉을 때에는 컴퓨터를 눈높이보다 조금 아래에 놓는 것이 좋습니다. ❸ 운전할 때에는 몸이 조금 앞으로 나오게 의자를 가깝게 놓아야 합니다. ❹ 바닥에서는 무릎을 세우고 허리를 펴고 앉는 것이 좋습니다.

어휘와 표현

걸음	歩き、歩行	무릎	ひざ	잘못되다	間違う、誤る
고치다	治す	바닥	床	찾다	訪れる
괜찮다	結構だ、いい	발	足	펴다	伸ばす
굽	かかと	벗다	脱ぐ	편하다	楽だ
낮다	低い	사무실	事務室	풀리다	とれる、解消する
눈높이	目の高さ	세우다	立てる	피곤	疲れ
맨발	素足	습관	習慣	허리	腰
몸	体	운전	運転		

足を楽に 3

1 足が楽になれば体も楽になります。足を楽にするためにはかかとの低い靴やスニーカーを履いたほうがいいです。2 かかとの高い履物は足をもっと疲れさせる可能性があります。歩くときはできるだけゆっくり歩くより早足で歩いたほうがいいです。3 事務室で仕事をするときはたまに履物を脱いでいるのもいいです。家では裸足で生活するのもいいです。4 足が疲れていたら足を少し高いところに置いて寝ると疲れが取れます。

座る姿勢 4

1 腰が痛くて病院を訪れる人が増えています。こういう人たちは座る習慣が間違っている場合が多いです。2 座る習慣を変えると痛いのを簡単に治すことができます。パソコンの前に座る時はパソコンを目の高さより少し下に置いたほうがいいです。3 運転する時は体が少し前に出るように椅子を近く置かなければなりません。4 床では膝を立てて腰を伸ばして座ったほうがいいです。

1) 감다 : ①(目を)閉じる、つぶる、②(髪を) 洗う、③巻く、繰る
・눈을 감다. 目を閉じる。 머리를 감다. 髪を洗う。
샴푸로 감다. シャンプーで洗う。 실을 감다. 糸を巻く。
붕대를 감다. 包帯を巻く。
2) 指の名称 : 엄지손가락(親指)、집게손가락(人差し指)、가운뎃손가락(中指)、약손가락(薬指)、새끼손가락(小指)、엄지발가락(足の親指)、가운뎃발가락(足の中指)、새끼발가락(足の小指)、손톱(手の爪)、발톱(足の爪)、손등(手の甲)、발등(足の甲)、손바닥(手のひら)、발바닥(足の裏)

5 걷기 운동

076

1 걷기 운동은 건강에 좋습니다. 걷기 운동은 시간이 없는 회사원들도 쉽게 할 수 있습니다. **2** 점심 식사 후 회사 근처를 10분 정도라도 걸으면서 햇볕을 쬐는 것이 좋습니다. **3** 거리가 멀지 않은 곳은 걸어 다닙니다. 계단은 걸어서 올라가고 엘리베이터나 에스컬레이터는 타지 않도록 합니다. **4** 다른 운동은 하기 전에 준비할 것이 많지만 걷기 운동은 편한 신발만 있으면 간단히 할 수 있습니다.

6 약국

077

1 감기에 걸리거나 배[3]가 아플 때, 그다지 증상이 심하지 않으면 바로 병원에 가지 않고 집에서 쉬거나 약국에 가는 경우가 많습니다. **2** 소화제나 진통제 같은 간단한 약은 약국에 가서 약사에게 증상을 이야기하면 됩니다. **3** 소화제나 두통약은 편의점에서도 살 수 있습니다. 그렇지만 갑자기 아프거나 증상이 심하면 빨리 병원에 가야 합니다. **4** 병원에서 진찰을 받은 후에 처방전을 받으면 약국에 가서 약을 살 수 있습니다.

어휘와 표현

거리	距離	배	お腹	증상	症状
걷기 운동	ウォーキング	신발	履物、くつ	진찰	診察
계단	階段	심하다	甚だしい、ひどい	진통제	鎮痛剤
그다지	あまり、それほど	소화제	消化剤	처방전	処方箋
두통약	頭痛薬	약사	薬剤師	햇볕을 쬐다	日に当たる
바로	すぐ	에스컬레이터	エスカレーター		
받다	もらう、受ける	엘리베이터	エレベーター		

ウォーキング 5

1 ウォーキングは健康にいいです。ウォーキングは時間がない会社員も手軽にできます。2 昼食の後、会社の周辺を10分程度でも歩いて日に当たるのがいいです。3 距離が遠くないところは歩きます。階段は歩いて上り、エレベーターやエスカレーターは乗らないようにします。4 他の運動はする前に準備すべきものが多いですが、ウォーキングは楽な履物さえあれば簡単にできます。

薬局 6

1 風邪を引いているかお腹が痛いとき、それほど症状がひどくなければすぐに病院に行かないで家で休むか薬局に行く場合が多いです。2 消化剤や鎮痛剤のような簡単な薬は薬局に行って薬剤師に症状を話せばいいです。3 消化剤や頭痛薬はコンビニでも買うことができます。しかし急に具合が悪くなるか症状がひどければ早く病院へ行かなければなりません。4 病院で診察を受けた後、処方せんをもらえば薬局に行って薬を買うことができます。

3) 体の各所の名称：얼굴 顔、눈 目、눈동자 瞳、눈꺼풀 まぶた、눈썹 眉・眉毛、속눈썹 まつげ、코 鼻、입 口、입술 唇、이 歯、사랑니 親知らず、혀 舌、귀 耳、이마 額、뺨・볼 頬、턱 あご、목 首、목구멍 喉、어깨 肩、겨드랑이 脇、팔 腕、팔꿈치 ひじ、손 手、손목 手首、손바닥 手のひら、주먹 こぶし、손가락 手の指、손톱 手の爪、가슴 胸、등 背中、배 腹、배꼽 へそ、옆구리 横腹、허리 腰、엉덩이 尻、가랑이 股、다리 脚、넓적다리 太もも、무릎 ひざ、정강이 すね、종아리 ふくらはぎ、발 足、발목 足首、발바닥 足の裏、발꿈치 かかと、복사뼈 くるぶし、발가락 足の指、발톱 足の爪、수염 ひげ

7 물을 마시자

🔊 078

1 건강해지려면 깨끗한 물을 많이 마셔야 한다. 사람의 몸은 60%[4] 가까이가 수분이다. **2** 그 중 10% 정도가 부족하면 정신을 잃고, 20%가 부족하면 목숨을 잃는다. **3** 아침에 일어나면 제일 먼저 물을 한 잔 마시는 것이 좋다. 뜨거운 물은 좋지 않다. **4** 또 빨리 마시지 말고 천천히 마시는 것이 좋다. 아침에 마시는 물 한 잔이 우리를 건강하게 해 준다.

8 눈병 주의

🔊 079

1 눈병에 걸리는 것을 피하기 위해 몇 가지 조심할 일이 있다. 먼저 여름철에는 사람이 많은 곳에 가지 않는 것이 좋다. **2** 수영장에 갔을 때는 맑은 물로 눈을 잘 씻어야 한다. 또 수건은 다른 사람과 함께 사용하지 않아야 한다. **3** 더러운 손으로 눈을 만지지 않도록 손을 자주 씻어 깨끗하게 하는 것도 중요하다. **4** 그리고 눈물이 나거나 눈이 아플 때는 빨리 병원에 가는 것이 좋다.

어휘와 표현

가까이	近く	뜨겁다	熱い	수분	水分
건강해지다	健康になる	맑다	きれいだ	수영장	プール
깨끗하다	清潔だ	만지다	触る	여름철	夏季
눈물	涙	목숨을 잃다	命を失う	정신을 잃다	気を失う
눈병	眼病	부족하다	不足する	조심하다	気をつける
더럽다	汚い	수건	タオル	피하다	避ける

水を飲もう 7

❶ 健康になるにはきれいな水をたくさん飲まなければならない。人間の体は60% 近くが水分だ。❷ そのうち10%程度が不足すると気を失い、20%が不足すると命を失う。❸ 朝起きたらいちばん先に水を1杯飲んだほうがよい。お湯はよくない。❹ また早く飲まないでゆっくり飲んだほうがよい。朝飲む水1杯が私たちを健康にしてくれる。

眼病注意 8

❶ 眼病にかかるのを避けるためにいくつか気を付けるべきことがある。まず夏場は人が多いところに行かないほうがよい。❷ プールに行ったときはきれいな水で目をよく洗わなければならない。またタオルは他の人とともに使ってはいけない。❸ 汚れた手で目を触らないように手をときどき洗ってきれいにすることが大事だ。❹そして涙が出るか目が痛いときは早く病院に行ったほうがよい。

4) 数学記号、数字の読み

- ＋：더하기・더하다 足す、－：빼기・빼다 引く、×：곱하기・곱하다 かける、÷：나누기・나누다 割る
  6＋4＝10：육 더하기 사는 십. 8÷2＝4：팔 나누기 이는 사.
  이에다 삼을 곱하면 육이 된다. 二に三をかけると六になる。
- %：퍼센트、0.03：영점 영삼、3/5：오분의 삼、m^3：세제곱메터、ℓ：리터
  0.005%：영점 영영오 퍼센트、3ℓ 의 물：삼 리터의 물
  1/2과 2/4는：이분의 일과 사분의 이는

9 월요병

080

1 아침에 유난히 잠자리에서 일어나기가 싫고 출근하기가 힘들다. 입맛이 없고 오전 내내 나른하고 피곤하다. **2** 조그만 일에도 짜증이 나고 우울하다. 이런 증상이 특히 월요일 아침에 심하게 나타난다면 월요병[5]일 가능성이 높다. **3** 월요병은 우리 몸의 리듬이 파괴되어 나타나는 증상이다. **4** 이것은 일하기 싫어서 나타나는 꾀병이나 스트레스 때문에 생긴 마음의 병이 아니다.

10 규칙적인 생활

081

1 건강을 위해서는 우선 규칙적으로 자고 일어나는 것이 중요하다. **2** 낮 동안 쌓인 피로와 스트레스를 풀기 위해서는 일곱 시간 정도는 자는 것이 좋다. **3** 적당한 운동을 하는 것도 건강을 지키는 데 도움이 된다. 하지만 지나친 운동은 오히려 건강에 안 좋으니까 적당히 하는 것이 좋다. **4** 음식은 비타민이 많이 들어 있는 신선한 야채와 단백질이 많이 들어 있는 음식을 균형 있게 먹는 것이 좋다.

어휘와 표현

가능성	可能性	리듬	リズム	유난히	特に、際立って
규칙적	規則的	병	病気	입맛	食欲
균형 있게	バランスよく	신선하다	新鮮だ	잠자리	寝床
꾀병	仮病	쌓이다	積もる、溜まる	지나치다	行き過ぎる
나른하다	だるい	오히려	むしろ	짜증이 나다	苛立つ
내내	ずっと	우선	まず	파괴되다	破壊される
단백질	タンパク質	우울하다	憂鬱だ		
도움이 되다	役に立つ	월요병	月曜病		

月曜病　9

1 朝、特に寝床から起きるのが嫌だし、出勤するのがつらい。食欲がなく、午前中ずっとだるくて疲れている。2 些細なことにもいらいらして憂鬱だ。こういう症状が特に月曜日の朝に強く表われたら月曜病である可能性が高い。3 月曜病は私たちの体のリズムが破壊されて表われる症状だ。4 これは働きたくなくて表われる仮病やストレスのせいで生じた心の病ではない。

規則的な生活　10

1 健康のためにはまず規則的に寝て起きるのが大事だ。2 昼の間溜まった疲れとストレスを解消するためには7時間ぐらい寝たほうがよい。3 適当な運動をするのも健康を守るのに役立つ。しかし、過度な運動はむしろ健康によくないから適当にしたほうがよい。4 食べ物はビタミンがたくさん入っている新鮮な野菜と、タンパク質がたくさん入っている食べ物をバランスよく食べたほうがよい。

5) 標準となる発音は現実の発音を尊重して同じ音韻条件の下でも異なる場合があるので注意が必要だ。
- 월요병[워료뼝]月曜病、눈병[눈뼝]眼病、술병[술뼝]飲酒による病、인기[인끼]人気、화병[화뼝]怒りを抑えすぎて起こる病気
- 눈보라[눈보라]吹雪、열병[열병]熱病、조현병[조현병]統合失調症、연기[연기]延期、화병[화병]花瓶

第9章

일

仕事

1 호텔 요리사

082

❶ 나는 호텔에 있는 한국 식당에서 일을 합니다. 요리 학교를 졸업하고 4년 전부터 여기서 일을 시작했습니다. ❷ 초등학교 때부터 요리에 흥미를 느끼고 어른이 되면 반드시 요리사가 되겠다고 생각했습니다. ❸ 식당에는 손님이 많이 오십니다. 내가 만든 음식을 손님들이 맛있게 드시는 것을 볼 때가 제일 행복합니다. ❹ 요리는 예술과 비슷합니다. 새로운 메뉴를 연구하고 만들어 보는 시간이 정말 즐겁습니다.

2 첫 출근

083

❶ 대학을 졸업하고 취직을 해서 새 직장에 출근을 했습니다. 첫날이어서 여간 떨리지 않았습니다. ❷ 실수를 할까 봐 가슴이 두근[1]거렸습니다. 역시 걱정한 대로 실수가 많았습니다. ❸ 그때마다 "죄송합니다." 하고 사과를 했습니다. 부장님이나 과장님 할 것 없이 모두들 괜찮다고 하면서 따뜻하게 대해 주었습니다. ❹ 처음이니까 실수하는 것은 당연하다고 했지만 아주 부끄러웠습니다.

어휘와 표현

가슴	胸	사과하다	謝る、わびる	요리사	料理師
과장님	課長	새롭다	新しい	졸업하다	卒業する
당연하다	当然だ	실수하다	ミスする	첫날	初日
대하다	接する	어른	おとな	취직	就職
두근거리다	どきどきする	역시	やはり	할 것 없이	みな、区別なく
부끄럽다	恥ずかしい	연구하다	研究する	흥미를 느끼다	興味を覚える
부장님	部長	예술	芸術		

ホテル料理人 1

1 私はホテルにある韓国食堂で働いています。料理学校を卒業して4年前からここで働き始めました。2 小学校の頃から料理に興味を覚えて、大人になったら必ず料理人になろうと思いました。3 食堂にはお客さんがたくさんいらっしゃいます。私が作った料理をお客さんたちが美味しく召し上がるのを見る時がいちばん幸せです。4 料理は芸術と似ています。新しいメニューを研究して作ってみる時間が本当に楽しいです。

初出勤 2

1 大学を卒業して就職をして新しい職場に出勤をしました。初日なのでとても緊張しました。2 ミスを犯しそうで胸がどきどきしました。やっぱり心配した通りミスが多かったです。3 その度に「申し訳ありません。」と謝りました。部長も課長もみんな大丈夫だと言いながら暖かく接してくれました。4 初めてだからミスをするのは当たり前だと言われましたが、とても恥ずかしかったです。

……………………………

■ YouTubeへのリンク先
➜「직업・아르바이트・맞벌이・요리사」
「職業・アルバイト・共働き・料理人」
＊YouTubeのリンク先が変更されている場合は上記のキーワードで検索してください。

■ **主要な文法事項**は、巻末に付録（p.214）としてまとめて収録しています。
巻末の資料1と2の主要助詞、語尾・慣用表現リストを参考にしてください。

3 직업 고르기

084

1 직업에는 자기 만족을 느낄 수 있는 직업도 있고 만족하지는 않지만 생활을 위해서 선택하는 직업도 있습니다. **2** 직업을 고르는 것은 여간 어려운 일이 아닙니다[2)]. 적성에도 맞아야 하고 월급이나 장래성도 생각하지 않으면 안됩니다. **3** 적성에도 맞고 자신이 희망했던 직업을 가진 사람은 행복한 데 반해[3)] 그렇지 않은 사람은 행복을 느끼기 어렵습니다. **4** 그러므로 직업은 신중하게 생각해서 선택해야 합니다.

4 두 개의 일

085

1 요즘 두 개의 직업을 가진 사람들이 많아지고 있습니다. 평일에는 직장에서 일을 하고 퇴근 후 저녁이나 주말에 다른 일을 합니다. **2** 보통 집에서 할 수 있는 일이나 인터넷으로 물건을 판매하는 일을 합니다. **3** 그 밖에 운전이나 아이 돌보기, 여행 안내원, 요리사, 청소하기 같은 일도 합니다. **4** 두 종류의 일을 하는 사람들은 남는 시간을 이용해서 수입도 늘리고 사회 경험도 할 수 있어서 좋다고 말합니다.

어휘와 표현

경험	経験	수입	収入	적성에 맞다	適正に合う
고르다	選ぶ	신중하다	慎重だ	종류	種類
그러므로	したがって、それゆえ	아이 돌보기	ベビーシッター	직업	職業
남다	残る、余る	안내원	案内員、ガイド	퇴근	退勤
늘리다	増やす	에 반해	～に反して	판매	販売
만족하다	満足する	월급	給料、月給	평일	平日
사회	社会	자기	自己	행복하다	幸せだ
선택하다	選択する	장래성	将来性	희망하다	希望する

職業選び　3

1 職業には自己満足を感じることができる職業もあり、満足はしないが、生活のために選択する職業もあります。2 職業を選ぶことはとても難しいことです。適性にも合わなければならないし、給料や将来性も考えなければなりません。3 適性にも合って自分が希望した職業を持った人は幸せなのに反してそうではない人は幸せを感じるのが難しいです。4 したがって職業は慎重に考えて選択しなければなりません。

二つの仕事　4

1 最近二つの職業を持った人が多くなっています。平日は職場で仕事をして退勤後の夕方や週末に他の仕事をします。2 たいてい家でできる仕事やインターネットでものを販売する仕事をします。3 その他に運転やベビーシッター、旅行ガイド、料理人、掃除のような仕事もします。4 二つの種類の仕事をする人は余った時間を利用して収入も増やし、社会経験もできてよいと言います。

1) 韓国語の擬態語、擬声語：同音反復(畳語)によるABABの4音節のことばが多い。特に擬態語にこの傾向が顕著に見られる。
・구불구불 くねくね、 아장아장 よちよち、 두근두근 どきどき、
느릿느릿 のろのろ、 둥실둥실 ふわふわ、 무럭무럭 すくすく、
반짝반짝 きらきら、 사각사각 しゃきしゃき、 덜컹덜컹 がたんがたん

2) 여간 −지 않다/ 여간 −가/이 아니다：並大抵の〜ではない。非常に〜だ。
・여간 바쁘지 않다.　非常に忙しい。
여간 기쁜 일이 아니다.　この上なくうれしいことだ。

5 꿈의 실현

086

1 우리는 어릴 때부터 커서 무엇이 되고 싶으냐[4]는 질문을 많이 받아 왔다. 2 아이들은 이런 질문에 대통령이나 과학자, 선생님, 소방관, 가수, 영화 배우가 되고 싶다고 쉽게 대답을 한다. 3 그러나 언젠가부터 이 질문에 대답하기가 쉽지 않게 된다. 직업을 선택하는 것은 보고 싶은 영화를 고르는 것처럼 쉬운 일이 아니다. 4 그 이유는 직업이 우리 삶에서 너무나 중요한 역할을 하기 때문이다.

6 아르바이트의 매력

087

1 아르바이트의 매력이라고 하면 무엇보다도 그 시간 선택의 자유에 있을 것이다. 2 밤잠이 없는 사람은 24시간 편의점에서 밤샘 근무를 할 수도 있고, 낮에 학교에 다니는 사람은 새벽이나 저녁 시간에 아르바이트를 함으로써 경제적 이익을 얻을 수 있다. 3 보통의 직장인이 빡빡하게 짜여진 일정에 따라야 하는 데에 비해 아르바이트를 하는 사람들은 이처럼 자신의 일정을 조정할 수 있다.

어휘와 표현

경제적	經済的	빡빡하다	きちきちだ	역할	役割
과학자	科学者	삶	人生、暮らし	이익을 얻다	利益を得る
근무	勤務	선택	選択	일정	日程
대통령	大統領	소방관	消防士	자유	自由
매력	魅力	어리다	幼い	조정하다	調整する
밤샘	徹夜	언젠가	いつか	짜이다	組まれる
밤잠이 없다	夜寝ない、夜型	에 비해	～に比べて	크다	大きくなる

夢の実現　5

1 私たちは子供の頃から何になりたいかと言う質問をたくさん受けて来た。2 子供たちはこういう質問に大統領や科学者、先生、消防隊員、歌手、映画俳優になりたいと簡単に答える。3 しかし、いつかからこの質問に答えるのが簡単ではなくなる。職業を選択することは見たい映画を選ぶことのように容易なことではない。4 その理由は職業が私たちの人生においてあまりにも重要な役割をするからだ。

アルバイトの魅力　6

1 アルバイトの魅力と言えば何よりもその時間選択の自由にあるだろう。2 夜型の人は24時間のコンビニで徹夜の勤務をすることもできるし、昼に学校に通っている人は明け方や夕方の時間にアルバイトをすることで経済的な利益を得ることができる。3 普通のサラリーマンがタイトに組まれた日程に従わなければならないのに比べてアルバイトをする人はこのように自分の日程を調整することができる。

3) −에 반해(서)・−에 반하여/ −에 반하는：〜に反して/　〜に反する
・물가에 반해 월급은 오르지 않는다. 物価に反して給料は上がらない。
기대에 반하는 결과.　期待に反する結果。
4) 形容詞+−냐・−으냐/ 動詞・先語末語尾+-느냐：〜か、〜のか
・거기서 일하는 게 좋으냐 싫으냐? そこで働くのが好き？嫌い？
물이 차냐고 물었다.　水が冷たいのかと聞いた。
뭘 했느냐는 질문.　何をしたかと言う質問。
뭘 시키겠느냐고 해서. 何を注文したいのかと言われて。

7 시간당 얼마 088

1 아르바이트만으로는 생활하기가 쉽지 않다. 아르바이트생에게 대부분의 직장은 보너스나 수당도 없고 퇴직금도 없다. **2** 즉, 일하는 동안 시간당[5] 얼마씩의 임금을 받을 뿐 그 이상을 기대할 수 없다. **3** 그러나 자신의 장래와 현재 상황을 고려하여 신중하게 선택한 아르바이트는 단순히 소액의 돈벌이에 그치는 것이 아니라 자기 발전을 위한 소중한 경험과 경력이 되어 줄 수도 있다.

8 맞벌이 089

1 한국에서도 젊은 세대에서는 맞벌이 부부가 일반적이다. **2** 예전에는 남자는 직장에서 돈을 벌어 오고 부인은 집에서 아이를 키우며[6] 살림을 했다. 그런데 지금은 집안일만 하는 전업 주부보다는 밖에서 일을 하는 여성이 많아졌다. **3** 그래서 집안일은 여자만 하는 것이라는 생각도 많이 바뀌었다. **4** 그러나 집안일을 돕는 남자가 많이 늘기는 했지만 아직도 대부분의 집안일은 여자들이 하고 있다.

어휘와 표현

경력	経歴	벌다	稼ぐ	일반적	一般的
고려하다	顧慮する	부부	夫婦	임금	賃金
그치다	終わる	살림	家事のやりくり	장래	将来
기대하다	期待する	세대	世代	전업 주부	専業主婦
돈벌이	稼ぎ	소액	少額	집안일	家事
동안	間	소중하다	大切だ	키우다	育てる
맞벌이	共働き	수당	手当	퇴직금	退職金
발전	発展	예전	昔、ずっと前	-당	～当たり

時間当たりいくら 7

1 アルバイトだけでは生活するのが簡単ではない。アルバイト生にほとんどの職場はボーナスや手当てもなく、退職金もない。2 即ち、働く間時間当りいくらずつの賃金をもらうだけでそれ以上を期待することはできない。3 しかし、自分の将来と現在の状況を考慮して慎重に選択したアルバイトは単純に少額の稼ぎにとどまるものではなく、自己発展のための大事な経験と経歴になってくれる可能性もある。

共働き 8

1 韓国でも若い世代では共働きの夫婦が一般的だ。2 昔は、男性は職場からお金を稼いで来て、奥さんは家で子供を育てながら家事のやりくりをした。ところが今は家事だけをする専業主婦よりは外で働く女性のほうが多くなった。3 そのため家事は女性だけがするものだという考えもかなり変わった。4 しかし、家事を手伝う男性がだいぶ増えはしたが、まだ大部分の家事は女性たちがしている。

5) −당：単位名詞の後に付く。～当たり。
・시간당 얼마? 時間当たりいくら?　30명당 한 대. 30名当たり1台。
1인당 두 병씩. 1人当たり2本ずつ。　한 마리당 오천 원. 1匹当たり5千円。
6) 키우다：①育てる、飼う、②大きくする、ふやす、③(能力・勢力を)伸ばす
・화초를 키우다. 草花を育てる。　강아지를 키우다. 子犬を飼う。
제자를 키우다. 弟子を育てる。　연주자로 키우다. 演奏家として育てる。
사업을 키우다. 事業を大きくする。　재산을 키우다. 財産を増やす。
능력을 키우다. 能力を伸ばす。　힘을 키우다. 力を伸ばす。

9 맞벌이 부부의 고민 090

1 맞벌이 부부의 가장 큰 문제는 아이를 키우는 일이다. 여자들은 밖에서 일을 하는 데다가 아이도 키워야 한다. **2** 아이를 어린이집에 맡기거나[7] 아이를 보는 사람을 고용하기도 한다. 그러나 늦게까지 맡아주는 어린이집을 찾기가 쉽지 않고 비용도 많이 든다. **3** 그렇기 때문에 많은 여성들은 친정[8]이나 시댁 근처에 살면서 아이를 맡긴다. **4** 여성이 일을 하는 것은 개인과 사회를 위해서 좋은 일이지만 쉽지는 않은 것 같다.

10 직업이 갖는 의미 091

1 우리는 직업을 통해서 생활에 필요한 돈을 벌고 원하는 것을 할 수 있게 된다. **2** 그리고 그 과정에서 우리는 행복을 느낀다. 직업은 이렇게 중요한 것이기 때문에 직업을 선택할 때는 여러 가지를 생각해 봐야 한다. **3** 자신의 일에 만족감을 느끼면서 살아가기 위해서 조건보다는 적성에 맞는 일을 선택하는 것이 중요하다. **4** 어떤 직업을 선택하느냐에 따라 삶이 행복할 수도 있고 그렇지 않을 수도 있기 때문이다.

어휘와 표현

개인	個人	비용이 들다	費用がかかる	원하다	願う、望む
고용하다	雇う、雇用する	사회	社会	을/를 통해서	～を通じて
과정	過程	살아가다	生きて行く	적성	適性
느끼다	感じる	삶	人生、暮らし	조건	条件
만족감	満足感	생활	生活	직업	職業
맞벌이	共働き	선택하다	選択する	친정	(既婚女性の)実家
맡기다	預ける	시댁	夫の実家	행복하다	幸せだ、幸福だ
벌다	稼ぐ	어린이집	保育園		

共働き夫婦の悩み 9

1 共働き夫婦の最大の問題は子供を育てることだ。女性は外で仕事をしているうえに子供も育てなければならない。2 子供を保育園に預けたりベビーシッターを雇ったりする。しかし、遅くまで預かってくれる保育園を探すのは簡単ではなく、費用もだいぶかかる。3 だから多くの女性は実家や夫の実家の近くに住みながら子供を預ける。4 女性が仕事をすることは個人と社会のためによいことだが、容易なことではないようだ。

職業が持つ意味 10

1 私たちは職業を通じて生活に必要なお金を稼いでやりたいことができるようになる。2 そしてその過程で私たちは幸せを感じる。職業はこのように大事なことだから職業を選択する時はさまざまなことを考えてみなければならない。3 自分の仕事に満足感を覚えながら生きて行くために条件よりは適性に合う仕事を選択するのが大事だ。4 どんな職業を選択するかによって人生が幸せになることもそうならないこともあり得るからである。

7) 맡기다：①任せる、②担当させる、③保管させる、預ける
・관리를 맡기다. 管理を任せる。　번역을 맡기다.　翻訳を任せる。
담임을 맡기다. 担任を担当させる。　주인공을 맡기다. 主人公を担当させる。
가방을 맡기다. カバンを預ける。　열쇠를 맡기다.　鍵を預ける。

8) 「친정」は「実家」として訳されるが、既婚の女性の実家に限定して使われる言葉なので誤用に注意しなければならない。「実家」は韓国語では「고향 집」に該当するが、状況によって単に「고향」、または「집」、「시골」などと言うことが多い。「시댁」は夫の実家を指して言う。

第10章

교육

教育

1 기숙사 규칙 092

❶ 나는 기숙사에 삽니다. 기숙사는 학교 안에 있어서 생활이 아주 편리합니다. ❷ 밤늦게까지 도서관에서 공부할 수 있습니다. 친구들도 많이 사귈 수 있습니다. ❸ 그러나 기숙사에는 많은 사람들이 함께 살기 때문에 지켜야 할 규칙이 있습니다. ❹ 먼저 방에서 요리를 하면 안 됩니다. 담배도 피우면 안 됩니다. ❺ 이성 친구는 출입할 수가 없습니다. 그리고 귀사 시간은 꼭 지켜야 합니다

2 학원 알바 093

❶ 나는 회사에 취직하기 전에 고등학생들에게 영어를 가르친 적이 있어요. ❷ 취직을 준비하면서 시간이 있었기 때문에 아르바이트로 일주일에 세 번 학원에서 가르쳤어요. ❸ 몸은 힘들지 않았지만 수업을 준비하는 것이 생각보다 어려웠어요. 그렇지만 그 학생들이 대학에 합격했을 때는 정말 기뻤어요. ❹ 대학에서 영어가 전공이었으니까 회사에서도 기회가 있으면 통역이나 번역도 해 보고 싶어요.

어휘와 표현

고등학생	高校生	사귀다	付き合う	지키다	守る
귀사	帰舎、帰寮	생각보다	思ったより	출입하다	出入りする
규칙	規則	알바	아르바이트の縮約語	취직하다	就職する
기숙사	寄宿舎、寮	이성	異性	통역	通訳
기회	機会	전공	専攻、専門	학원	塾
번역	翻訳	준비하다	準備する	합격하다	合格する

寮の規則　1

1 私は寮に住んでいます。寮は学校の中にあるので生活がとても便利です。2 夜遅くまで図書館で勉強することができます。友だちもたくさん付き合うことができます。3 しかし、寮には多くの人が一緒に住んでいるので守らなければならない規則があります。4 まず部屋で料理をしてはいけません。タバコも吸ってはいけません。5 異性の友だちは出入りすることができません。そして帰舎時間(門限)は必ず守らなければなりません。

塾のバイト　2

1 私は会社に就職する前に高校生たちに英語を教えたことがあります。2 就職を準備しながら時間があったのでアルバイトとして1週間に3回塾で教えました。3 体はつらくなかったのですが、授業の準備をすることが思ったより難しかったです。しかし、その学生たちが大学に合格したときは本当に嬉しかったです。4 大学で英語が専門だったから会社でも機会があれば通訳や翻訳もしてみたいです。

■ YouTubeへのリンク先
➔「학교 축제・학원・기숙사・한국 유학・전통 미술」
「学祭・塾(学院)・寄宿舎・韓国留学・伝統美術」
＊YouTubeのリンク先が変更されている場合は上記のキーワードで検索してください。

■ **主要な文法事項**は、巻末に付録 (p.214) としてまとめて収録しています。
巻末の資料1と2の主要助詞、語尾・慣用表現リストを参考にしてください。

3 한국의 학교 094

1 한국의 학교는 매년 3월에 새 학기가 시작돼요. 공부하는 기간은 초등학교 6년, 중학교 3년, 고등학교 3년, 대학교 4년으로 되어 있어요. **2** 초등학교 전에는 유치원이 있고, 대학교 졸업 후에는 석사와 박사 과정에 진학할 수 있는 대학원이 있어요. **3** 일반적으로 중학교, 고등학교 입학[1]은 추첨을 통해서 들어가요. **4** 그러나 일부 사립 고등학교는 시험에 합격해야 입학할 수 있어요.

4 초등학교 095

1 한국의 초등학교는 여름과 겨울에 방학을 해요. 여름 방학은 7월 하순[2]부터 8월 말까지이고 겨울 방학은 12월 하순부터 1월 하순까지예요. **2** 3월에 새 학기가 시작되기 전에 잠깐 쉬는 봄 방학도 있어요. **3** 한국의 초등학생들은 방학이 되면 캠프를 가거나 가족과 함께 여행을 가요. **4** 그리고 자연 관찰, 과학 실험 프로그램 등 여러 가지 체험 활동에 참여하면서 즐거운 시간을 보내요.

어휘와 표현

과학 실험	科学実験	여름 방학	夏休み	체험 활동	体験活動
대학원	大学院	유치원	幼稚園	초등학교	小学校
매년	毎年	일반적	一般的	추첨	抽選
박사	博士	일부	一部	캠프	キャンプ
사립	私立	입학	入学	하순	下旬
새 학기	新学期	자연 관찰	自然観察	합격하다	合格する
석사	修士	참여하다	参加する		

韓国の学校　3

1 韓国の学校は毎年3月に新しい学期が始まります。勉強する期間は小学校6年、中学校3年、高校3年、大学4年となっています。2 小学校の前には幼稚園があり、大学卒業後は修士と博士過程に進学できる大学院があります。3 一般的に中学校、高校の入学は抽選を経て入ります。4 しかし、一部の私立高校は試験に合格しなければ入学することができません。

小学校　4

1 韓国の小学校は夏と冬に休みがあります。夏休みは7月下旬から8月末までで、冬休みは12月下旬から1月下旬までです。2 3月に新しい学期が始まる前に少し休む春休みもあります。3 韓国の小学生は休みになるとキャンプに行ったり家族と一緒に旅行に行ったりします。4 そして自然観察、科学実験プログラムなどさまざまな体験活動に参加して楽しい時間を過ごします。

1) 韓国の入試制度：中学は地域単位別に抽選によって入学者を配置する。高校も地域単位別の抽選による選抜が一般的だが、一部全国単位で学校独自の試験で選抜する高校もある。大学入試は随時募集と定時募集の二つの方法で行われる。「随時」は主に高校の成績と活動(内申書)を評価指標として選抜し、「定時」は全国統一の「大学修学能力試験」の成績をメインに評価して選抜する。

2) 초, 말 / 초순, 중순, 하순：初め・初期、末 / 初旬、中旬、下旬
・90년대 초. 90年代初め。　학기 초. 学期初め。　시월 말. 10月末。
삼월 초순. 3月初旬。　내달 중순. 来月中旬。　다음 달 하순. 来月下旬。

5 원래 꿈은 화가

096

1 저는 지금 유치원 선생님인데 원래 제 꿈은 화가였어요. **2** 대학교에서도 미술을 전공하려고 했지만 대학 입학시험에 떨어지고 말았어요. **3** 실망도 했고 자신이 없어지기도 해서 그때부터 그림 그리는 것을 그만두었어요. **4** 사실 아이들도 좋아해서 지금 유치원 선생님을 하는 것에 만족하고 있지만 그때 그림 그리는 것을 포기하지 않았다면 지금 정말 유명한 화가가 됐을지도 모른다는 생각을 하곤 해요.

6 아르바이트

097

1 나도 한국에 오기 전 일본에서 아르바이트를 많이 했습니다. 아르바이트 때문에 공부할 시간이 모자라서 학점을 못 딴[3)] 적도 있었습니다. **2** 여기서도 아르바이트를 많이 하는 학생이 있는 것 같습니다. 한국 친구들이 아르바이트에 대해서 나누는 이야기를 자주 듣곤 합니다. **3** 아르바이트는 힘들지만 보람도 있습니다. 한국에 유학을 온 김에 아르바이트도 해 보고 싶습니다. **4** 한국말도 배우고 사회 경험도 할 수 있게 되어 좋을 것 같습니다.

어휘와 표현

경험	経験	사회	社会	자신	自身
그만두다	やめる	실망	失望	전공	専攻
떨어지다	落ちる	아르바이트	アルバイト	포기하다	諦める
모르다	分からない	에 대해서	～に対して	학점을 따다	単位を取る
모자라다	足りない	원래	元々、元来	화가	画家
미술	美術	유명하다	有名だ		
보람	やりがい	입학시험	入学試験		

元々の夢は画家　5

1 私はいま幼稚園の先生ですが、元々の私の夢は画家でした。**2** 大学でも美術を専攻しようとしましたが、大学の入学試験に落ちてしまいました。**3** 失望もしたし、自信がなくなったりもしてその時から絵を描くのをやめました。**4** 実は子供たちも好きなのでいま幼稚園の先生をしていることに満足していますが、あの時、絵を描くことをあきらめなかったらいまは本当に有名な画家になったかも知れないと思うこともあります。

アルバイト　6

1 私も韓国に来る前に日本でアルバイトをたくさんしました。アルバイトのせいで勉強する時間が足りなくて単位が取れなかったこともありました。**2** こちらでもアルバイトをたくさんしている学生がいるようです。韓国の友だちがアルバイトについて話すのをよく聞いたりします。**3** アルバイトは大変ですが、やりがいもあります。韓国に留学に来たついでにアルバイトもしてみたいです。**4** 韓国語も学んで社会経験もできてよさそうです。

3) 따다 : ①取る、摘む、もぐ、ちぎる、②(資格・成績などを)取る、得る、③開ける、抜く、④引用する、抜き取る、⑤(賭けなどで) もうける

・꽃을 따다.	花を摘む。	호박을 따다.	かぼちゃをもぐ。
잎을 따다.	葉をちぎる。	미역을 따다.	ワカメを取る。
학점을 따다.	単位を取る。	운전 면허증을 따다.	運転免許証を取る。
병뚜껑을 따다.	瓶の栓を抜く。	통조림을 따다.	缶詰をあける。
한 글자를 따다.	1字を抜き取る。	시의 한 구절을 따서.	詩の1節を引用して。
금메달을 따다.	金メダルを取る。	돈을 땄다.	(賭けで)お金をもうけた。

仕事
教育
家族
人・関係
文化
生活一般
案内
事件・事故

7 중간시험

098

❶ 다음 주에는 영어 중간시험이 있다. 말하기,듣기,읽기, 쓰기를 보는데 나는 듣기 시험 때문에 걱정하고 있다. ❷ 중학교 때부터 듣기가 어려웠기 때문이다. 그래서 나는 듣기 시험을 잘 보기 위해서 대화문을 날마다 세 번씩 듣고 있다. ❸ 대화문을 세 번 들으면 거의 다 외울 수가 있다. ❹ 문장을 다 아니까 더 잘 들을 수 있게 되었고 듣기가 전보다 쉬워진 느낌이다. 그리고 새로 배운 단어도 열심히 외우고 있다.

8 기말시험

099

❶ 민수는 지난 학기까지 공부를 열심히 하는 학생이었다. 하지만 이번 학기에는 수업에 결석하는 날이 많았고, 와도 지각하는 날도 많았다. ❷ 아마 말 못할 무슨 사정이 있는 모양이었다. 기말시험 때는 걱정된 친구들이 연락을 해서 시험을 보러 왔다. ❸ 거의 수업을 듣지 않았으니까 모르는 문제가 많았을 것이다. ❹ 시험을 본[4] 민수의 얼굴은 어두웠다. 성적이 나쁘면 3학년에 진급을 못 하게 된다.

어휘와 표현

걱정되다	心配される	사정	事情	열심히	一生懸命、熱心に
결석하다	欠席する	새로	新たに	외우다	覚える
기말시험	期末試験	성적	成績	중간시험	中間試験
날마다	毎日	쉬워지다	易しくなる	지각하다	遅刻する
느낌	感じ	시험을 보다	試験を受ける	진급	進級
대화문	対話文	아마	多分	학기	学期
문장	文章	어둡다	暗い		

中間試験 7

1 来週は英語の中間試験がある。スピーキング、リスニング、リーディング、ライティングを受けるが、私はリスニング試験のことで心配している。**2** 中学校の時からリスニングが苦手だったからだ。そこで私はリスニング試験でよい成績を取るために対話文を毎日3回ずつ聞いている。**3** 対話文を3回聞けばほとんど覚えることができる。**4** 文章を全部分かっているからよりうまく聞き取れるようになってリスニングが前より易しくなってきた感じがする。そして新たに学んだ単語も一生懸命覚えている。

期末試験 8

1 ミンスは前の学期までまじめに勉強をする学生だった。しかし、今学期は授業を欠席する日が多かったし、来ても遅刻する日も多かった。**2** 多分何か人には言えない事情があるようだった。期末試験の時は心配になった友だちが連絡をして試験を受けに来た。**3** ほとんど授業を聞いていなかったので分からない問題が多かったはずだ。**4** 試験を受けたミンスの顔は暗かった。成績が悪ければ3年生に進級ができなくなる。

4) 시험을 보다 : ①試験を受ける、②テストを実施する
시험을 잘 보다 : 試験の出来がよい・試験がうまく行く
시험을 못 보다 : 試験の出来が悪い

・오늘 한국어 시험을 봤다.	今日韓国語の試験を受けた。
내일 시험을 볼 테니까 준비하세요.	明日テストをするから準備してください。
오늘 시험 잘 봤어?	今日の試験うまく行った？
시험을 잘 못 봐서 걱정이야.	試験がうまく行かなかったので心配だ。

9 유학을 가다 100

1 "자, 네 생일 선물이다." 아버지는 나에게 런던행 비행기표 한 장을 주시면서 이렇게 말씀하셨다. **2** 대학에서 영문학을 공부하고 있던 나는 처음에는 아주 기뻤지만 유학 준비를 해 나가면서 불안해지기 시작했다. **3** 짧은 시간 동안에 대학의 수업 일정을 알아보고 숙소도 구하는[5] 등 해야 할 일이 한두 가지가 아니었다. **4** 그 후 런던에 도착한 다음부터는 모든 것을 혼자 해야 하는 정말 외로운 생활이 시작되었다.

10 배움은 죽을 때까지 101

1 교육은 학교 안에서만 이루어지지 않고 일생을 통하여 계속된다. **2** 원래 사람은 사는데 필요한 지식과 기술을 태어나서 죽을 때까지 가정과 사회로부터 배워 왔다. **3** 그러나 문명이 발달함에 따라 배워야 하는 것들의 내용이 복잡해져서 학교가 생겨났다. **4** 이렇게 해서 생긴[6] 학교들은 자연히 지역에 따라 가르치는 내용이나 교육 기간, 교육의 주체가 다른 고유한 제도를 갖추게 되었다.

어휘와 표현

가정　家庭
갖추다　備える、整える
고유하다　固有だ
교육　教育
구하다　探す、求める
기술　技術
런던행　ロンドン行き
문명　文明
복잡하다　複雑だ
불안하다　不安だ
생기다　できる、生じる
숙소　宿所、宿舎
알아보다　調べる
영문학　英文学
외롭다　寂しい
원래　もともと、元来
이루어지다　行われる
일생　一生
제도　制度
주체　主体
지식　知識
지역　地域
태어나다　生まれる
한두　一つか二つの

留学に行く 9

1「さあ、君の誕生日プレゼントだ。」父は私にロンドン行の飛行機のチケット1枚を渡しながらこう言った。2 大学で英文学を勉強していた私は最初とても嬉しかったが、留学の準備をしていくうちに不安になり始めた。3 短時間の間に大学の授業日程を調べ、宿舎も探すなどやるべきことが一つや二つではなかった。4 その後、ロンドンに到着してからはすべてのことを一人でやらなければならない本当にさびしい生活が始まった。

学びは死ぬまで 10

1 教育は学校の中だけで行われるのではなく一生を通じて続けられる。2 元々人間は生きるのに必要な知識と技術を生まれてから死ぬまで家庭と社会から学んで来た。3 しかし、文明が発達するにつれて学ばなければならないものの内容が複雑になってきて学校が生まれた。4 このようにしてできた学校はおのずと地域によって教える内容や教育期間、教育の主体が異なる固有の制度を整えるようになった。

5) 구하다：①(必要なものを)さがす、求める、手に入れる、②救う、助ける
・직장을 구하다. 仕事をさがす。　먹이를 구하다. エサをさがす。
동의를 구하다. 同意を求める。　목숨을 구하다. 命を救う。

6) 생기다：①できる、手に入る、②起こる、生じる、③(形が) ～のように見える
・지하철이 생기다. 地下鉄ができる。　돈이 생기다. お金が入る。
문제가 생기다. 問題が起こる。　볼일이 생기다. 用事ができる。
여자처럼 생겼다. 女のような顔つきをしている。
그릇이 예쁘게 생겼다. 器が素敵な形をしている。

第11章

가족

家族

1 우리 가족 102

1 우리 가족은 모두 다섯 명이에요. 부모님이 계시고 형이 한 명, 여동생이 한 명 있어요. **2** 할아버지와 할머니는 모두 돌아가셨어요. 아버지는 은행에 다니시고 어머니는 병원에서 일하세요. **3** 형은 작년부터 건축 회사에 다니고 있고 여동생은 고등학생이에요. 여동생은 3학년이라서 학교에서 밤늦게까지 공부하고 돌아와요. **4** 모두 바쁘지만 주말에는 같이 식사를 해요. 가끔 당일치기 여행을 가기도 해요.

2 강아지도 우리 가족 103

1 우리 집에는 강아지 한 마리가 있는데 이름은 차돌이예요. 차돌이는 아주 귀여워요. **2** 그래서 우리 가족들은 모두 차돌이를 아기처럼 귀여워해요. 차돌이는 하루에 두 번 밥을 먹어요. **3** 밥 먹는 시간이 지나면 배가 고파서 크게 짖어요. 그래서 밥을 빨리 줘야 해요. **4** 겨울에 밖에 나갈 때 차돌이는 많이 추워해서 옷이 필요해요. 강아지를 키우기가 조금 힘들지만 차돌이가 없으면 정말 쓸쓸할 거예요.

어휘와 표현

가끔	たまに
강아지	子犬
건축 회사	建築会社
겨울	冬
계시다	いらっしゃる
귀여워하다	かわいがる
귀엽다	かわいい
당일치기	日帰り
돌아가시다	亡くなる
모두	みんな、全部
배가 고프다	空腹だ
쓸쓸하다	寂しい
아기	赤ちゃん
여행	旅行
짖다	吠える
추워하다	寒がる
키우다	飼う、育てる
필요하다	必要だ
힘들다	大変だ

私の家族　1

1 私の家族は全部で5人です。両親がいて兄が一人、妹が一人います。2 祖父と祖母は二人とも亡くなりました。父は銀行に勤めていて、母は病院で働いています。3 兄は去年から建築会社に勤めていて、妹は高校生です。妹は3年生なので学校で夜遅くまで勉強して帰って来ます。4 みんな忙しいけど、週末は一緒に食事をします。たまに日帰り旅行も行ったりします。

子犬もうちの家族　2

1 私の家には子犬が1匹いますが、名前はチャドリです。チャドリはとてもかわいいです。2 だから私の家族はみんなチャドリを赤ちゃんのように可愛がっています。チャドリは1日に2回ご飯を食べます。3 ご飯を食べる時間が過ぎるとお腹がすいて大声で吠えます。だからご飯を早くあげなければなりません。4 冬に外に出かける時、チャドリはとても寒がるので服が必要です。子犬を飼うのは少し大変だけど、チャドリがいなければ本当にさびしいと思います。

■ YouTubeへのリンク先
➜「가족 노래・친척 호칭・강아지・고향」
「家族の歌・親戚の呼称・子犬・故郷」
＊YouTubeのリンク先が変更されている場合は上記のキーワードで検索してください。

■ **主要な文法事項**は、巻末に付録（p.214）としてまとめて収録しています。
巻末の資料1と2の主要助詞、語尾・慣用表現リストを参考にしてください。

3 가족을 부를 때 104

❶ 한국 사람은 가족을 부를 때 윗사람은 아랫사람을 이름으로 부릅니다. 그렇지만 아랫사람은 윗사람을 부를 때 이름이 아니라 관계를 부릅니다. ❷ 예를 들어서 남동생이 형이나 누나를 부를 때 이름으로 부르지 않고 '형, 누나'라고 부릅니다. ❸ 여동생도 오빠나 언니를 부를 때 '오빠, 언니'라고 관계로서 부릅니다. ❹ 그리고 다른 사람들에게 가족을 소개할 때 '내 아버지'라고 말하지 않고 '우리[1] 아버지'라고 말합니다.

4 형과 나 105

❶ 형과 나는 비슷한 점도 있지만 다른 점이 더 많습니다. 겉모습부터 아주 다릅니다. ❷ 형은 키가 작은데 나는 키가 큰 편입니다. 그래서 처음 만나는 사람들은 내가 동생이 아니라 형인 줄 압니다. ❸ 형은 어머니를 닮았습니다. 그래서 달걀형 얼굴에 여자처럼 곱게 생겼습니다. ❹ 그런데 나는 아버지를 많이 닮아서 네모난 얼굴에 몸집이 크고 남자답게[2] 생겼습니다.

어휘와 표현

겉모습	外見	달걀형	たまご型	아랫사람	目下の人
곱다	きれいだ	닮다	似る、似通う	예를 들어서	例えば
관계	関係	몸집	体格	윗사람	目上の人
남자답다	男らしい	부르다	呼ぶ	점	点
네모나다	四角い	비슷하다	似ている	처음	初めて
다르다	違う、異なる	소개하다	紹介する		

家族を呼ぶとき 3

1 韓国人は家族を呼ぶとき、目上の人は目下の人を名前で呼びます。しかし、目下の人は目上の人を呼ぶとき、名前ではなく関係を呼びます。2 例えば弟が兄や姉を呼ぶとき名前で呼ばないで「ヒョン（お兄さん）、ヌナ(お姉さん)」と呼びます。3 妹も兄や姉を呼ぶとき「オッパ(お兄さん)、オンニ(お姉さん)」と関係で呼びます。4 そして他の人たちに家族を紹介するとき、「ネアボジ（私の父）」と言わないで「ウリアボジ(うちの父)と言います。

兄と私 4

1 兄と私は似ている点もありますが、違う点がもっと多いです。外見からとても違います。2 兄は背が低いのに私は背が高いほうです。それで初めて会う人たちは私が弟ではなく兄だと思います。3 兄は母に似ています。だからたまご型の顔で女の人のようにきれいな顔つきをしています。4 しかし、私は父にとても似ていて四角い顔で体格がよく男らしいです。

1) 「우리」は日本語の「私たちの」、我々の」よりも使用範囲が広い。自分が所属しているもの、またはその構成員である場合は「내」ではなく「우리」を用いる。日本語の「うちの」に該当する。
・우리 집 我が家、우리 남편 私の夫・うちの夫、우리 엄마 私の母・うちの母、우리 학교 私の学校・うちの学校、우리 회사 私の会社・うちの会社
2) −답다：(一部の名詞に付いて、ある性質や特性がある意を加え、形容詞をつくる) ～らしい、～にふさわしい
・학생답지 않다. 学生にふさわしくない。 우리 언니답다. うちの姉らしい。

5 형제라도 성격은 106

1 우리 형제는 외모뿐만 아니라 성격도 아주 다릅니다. 형은 성격이 원만해서 다른 사람과 다투는 일이 거의 없습니다. **2** 그리고 차분한 성격이라서 무엇을 하든지 실수가 없습니다. 그런데 나는 형과는 달리 성격이 급해서 참을성이 부족합니다. **3** 차분한 형이 부러울 때가 많습니다. 그렇지만 형은 나의 사교적인 성격을 부러워합니다. **4** 나는 쉽게 친구들을 사귈 수 있어서 아는 사람들이 많은 편입니다.

6 가정 문제 107

1 가정 문제로 저희 상담소를 찾으시는 많은 분들이 가족 간의 의사 소통 문제 때문에 힘들어하시는데 의외로 그 해답은 간단합니다. **2** 이러한 어려움을 겪는 분들의 공통된 문제점은 집안 곳곳에 텔레비전을 켜[3] 놓은 채 생활하는 것입니다. **3** 우리가 텔레비전에 집중하고 있는 그때가 가족과 대화를 나눌 수 있는 소중한 시간인 거지요. **4** 오늘 저녁에는 텔레비전 대신 가족들의 이야기에 귀 기울여[4] 보면 어떨까요?

어휘와 표현

가정	家庭	사교적	社交的	원만하다	円満だ
공통되다	共通する	사귀다	付き合う	의사 소통	意思疎通
귀를 기울이다	耳を傾ける	상담소	相談所	의외로	以外に
급하다	性急だ、急だ	성격이 급하다	気が短い	집중하다	集中する
다투다	争う	소중하다	大切だ	차분하다	落ち着いている
대화를 나누다	話を交わす	실수	ミス、失敗	참을성	こらえ性、辛抱
부러워하다	うらやましがる	어려움을 겪다	苦労をする		
부럽다	うらやましい	외모	外見		

兄弟でも性格は　5

1 うちの兄弟は外見だけでなく性格も非常に違います。兄は性格が円満で他の人と争う事がほとんどありません。2 そして落ち着いた性格なので何をしてもミスがありません。ところが私は兄とは違って、気が短くて辛抱が足りません。3 落ち着いている兄が羨ましいと思うことが多いです。しかし、兄は私の社交的な性格を羨ましがっています。4 私は簡単に友だちと付き合うことができるので知り合いが多いほうです。

家庭問題　6

1 家庭問題で当相談所に訪ねて来られる多くの方々が家族間の意思疎通の問題で苦しんでいますが、意外にその答えは簡単です。2 このような苦しい状況にいる方々の共通した問題点は家のあっちこっちにテレビをつけたままで生活していることです。3 私たちがテレビに集中しているその時が家族と話を交わすことができる大事な時間です。4 今日の夜はテレビの代わりに家族の話に耳を傾けてみたらどうでしょう。

3) 켜다：①(火を)つける、②(スイッチなどを)つける、③(鋸で)挽く、④(楽器を)弾く、⑤伸びをする
- 불을 켜다.　電気をつける。　촛불을 켜다.　ろうそくをつける。
  라디오를 켜다. ラジオをつける。　나무를 켜다.　木を挽く。
  첼로를 켜다.　チェロを弾く。　기지개를 켜다. 伸びをする。

4) 기울이다：①傾ける、傾くようにする、②集中させる
- 왼쪽으로 기울이다. 左の方に傾ける。　귀를 기울이다.　耳を傾ける。
  노력을 기울이다.　努力を傾ける。　심혈을 기울이다. 心血を注ぐ。

7 가족과 친척의 호칭 108

1 아버지의 형은 큰아버지, 그 부인은 큰어머니라고 한다. 그리고 아버지의 남동생은 작은아버지, 그 부인은 작은어머니라고 한다. **2** 결혼하지 않은 아버지의 남동생은 삼촌이라고 하고, 아버지의 누나와 여동생은 모두 고모라고 한다. **3** 아버지 형제의 아들과 딸은 나와 사촌이고, 고모의 아들과 딸은 나와 고종사촌이다. **4** 어머니의 오빠나 남동생은 외[5]삼촌, 어머니의 언니나 여동생은 이모[6] 라고 한다.

8 고향과 가족 109

1 사람들에게 고향이 특별한 것은 그곳이 단지 태어난 곳이기 때문만은 아니다. **2** 고향은 사랑하는 가족과 함께 살았던 곳이며 어린 시절의 추억이 가득한 장소이기 때문이다. **3** 따라서 세월이 흘러 고향의 모습이 달라졌다고 해도 고향이 주는 따뜻함은 변함이 없다. **4** 그리고 그 따뜻함은 어렵고 힘든 상황을 극복할 수 있는 힘과 용기를 준다.

어휘와 표현

가득하다	いっぱいだ	변함이 없다	変わりない	작은아버지	叔父(父の弟)
고모	おば(父の姉妹)	상황	状況	작은어머니	叔母(父の弟の妻)
고종사촌	いとこ(고모の子供)	세월	歳月	추억	思い出
극복하다	克服する	어리다	幼い	큰아버지	伯父(父の兄)
단지	ただ、単に	어린 시절	幼い頃、子供の頃	큰어머니	伯母(父の兄の妻)
달라지다	変わる	외삼촌	おじ(母の兄弟)	태어나다	生まれる
따뜻함	温かさ、温もり	용기	勇気	특별하다	特別だ
모습	姿	이모	おば(母の姉妹)	흐르다	流れる

家族と親戚の呼称 7

1 父の兄はクナボジ(伯父)、その奥さんはクノモニ(伯母)と言う。そして父の弟はチャグナボジ(叔父)、その奥さんはチャグノモニ(叔母)と言う。2 結婚していない父の弟はサムチョン(叔父)と言い、父の姉と妹はみんなコモ(父方のおば)と言う。3 父の兄弟の息子と娘は私といとこで、コモの息子と娘は私とコジョン(父の姉妹方の)いとこだ。4 母の兄や弟はウェサムチョン(母方のおじ)、母の姉や妹はイモ(母方のおば)と言う。

故郷と家族 8

1 人々に故郷が特別なのはそこが単に生まれたところだからだけではない。2 故郷は愛する家族と一緒に住んでいたところで、幼い頃の思い出がいっぱいある場所だからだ。3 したがって歳月が流れて故郷の姿が変わったと言っても故郷が与えてくれる温もりは変わらない。4 そしてその温もりは困難でつらい状況を乗り越えることができる力と勇気を与えてくれる。

5) 외-:(名詞に付いて)母方の~、外~
・외조모・외할머니 母方の祖母、외조부・외할아버지 母方の祖父、외삼촌 母方のおじ、외숙모 おば・母方のおじの妻、외손녀 孫娘・娘が生んだ女の子、외손자 孫・娘が生んだ男の子、외손주 孫・娘が生んだ子供

6)「이모」は母親の姉妹を指す呼称だが、最近は一般呼称化が進み、特にサービス業に従事する従業員を呼ぶ言葉としても多く使われている。適切な使い方とは言えないが、従業員の女性が中年なら大体「이모」、比較的に若い人なら「언니」と呼ぶ傾向がある。

9 가족 회의

110

1 가족 회의는 부모와 아이들 모두가 각자의 고민이나 불만, 바라는 것들을 자유롭게 말할 수 있는 공간이다. **2** 이를 통해 가족이 안고[7)] 있는 문제에 대해 함께 해결책을 찾을 수 있다. 그러나 그 과정에서 서로 의견 충돌이 있을 수도 있다. **3** 그것을 줄이기 위해서는 일방적으로 주장하기보다 서로에 대해 이해할 줄 알아야 한다. **4** 이를 통해 남의 마음을 헤아리고 남의 말을 들을 줄 아는 사회성이 길러진다.

10 책임감

111

1 어린 시절부터 우리 부모님은 책임감을 우리 형제에게 가르치셨다. **2** 예를 들면, 내가 걷는 것을 배우자마자 어머니는 내가 가지고 논 장난감을 제 자리에 놓게 하셨다. **3** 아버지는 월요일마다 우리에게 각자 할 일을 알려 주셨다. **4** 만약 주말까지 자신의 맡은 일을 끝내지 못하면 그 일을 끝낼 때까지 다른 가족 활동에 참여할 수 없었다. **5** 이런 경험을 통해 우리는 시간을 잘 사용하고 일을 제대로 하는 방법을 배울 수 있었다.

어휘와 표현

각자	各自	불만	不満	제대로	きちんと
고민	悩み	사회성	社会性	주장하다	主張する
공간	空間	안다	抱える、抱く	줄이다	減らす
과정	過程	예를 들면	例えば	책임감	責任感
길러지다	育てられる	의견 충돌	意見衝突	해결책	解決策
만약	もし	일방적	一方的	헤아리다	推し量る
맡다	受け持つ、担当する	자유롭다	自由だ	회의	会議
방법	方法	장난감	おもちゃ		

家族会議

9

1 家族会議は親と子供たちみんなが各自の悩みや不満、望むことを自由に言える空間だ。2 これを通じて家族が抱えている問題について一緒に解決策を探すことができる。しかし、その過程でお互いに意見の衝突もあり得る。3 それを減らすためには一方的に主張するよりお互いに対して理解する必要がある。4 これを通じて他人の気持ちを推し量り、他人の話を聞くことができる社会性が育てられる。

責任感

10

1 幼い頃から私の両親は責任感を私たち兄弟に教えた。2 例えば、私が歩くことを覚えるとすぐ母は私が持って遊んだおもちゃを元の場所に置くようにさせた。3 父は月曜日ごとに私たちに各自やるべきことを教えてくれた。4 もし週末までに自分が担当した仕事を終わらせることができなければ、その仕事を終わらせるまで他の家族活動に参加することができなかった。5 このような経験を通じて私たちは時間をうまく使い、仕事をきちんとする方法を学ぶことができた。

....

7) 안다：①抱く、かかえる、②(心に)いだく、③(雨・風を)まともに受ける、はらむ

・강아지를 안다.	子犬を抱く。
꽃다발을 안다.	花束を抱える。
희망을 안다.	希望をいだく。
어려운 문제를 안고 있다.	困難な問題を抱えている。
바람을 안은 채 가려니까.	風を正面から受けて進もうとすると。
햇빛을 안고 운전하려니.	日光を正面から受けて運転しようとすると。
배가 바람을 안고 달린다.	船が風をはらんで走る。

第12章

사람,관계

人・関係

1 친구가 되려면

112

❶ 처음 만난 사람과 친구가 되는 것은 쉽지 않습니다. 그렇지만 쉽게 친구가 될 수 있는 방법이 있습니다. ❷ 그것은 상대방의 이야기를 잘 들어 주는 것입니다. 사람들은 자기 이야기를 잘 들어 주는 사람에게 쉽게 마음을 열기 때문입니다. ❸ 그리고 그 사람의 눈을 보고 웃으면서 이야기하는 것도 좋습니다. ❹ 웃으면서 이야기하면 마음이 편해져서 금방 친해집니다.

2 좋은 친구란

113

❶ 친구는 힘들 때 함께 이야기할 수 있고, 슬플 때 함께 울어 줄 수 있는 사람입니다. ❷ 친구에게 어려운 일이 있으면 친구 옆에 있어 줄 수 있는 사람입니다. ❸ 좋은 친구는 금방 생기는 것이 아닙니다. 자신이 먼저 좋은 친구가 되도록 노력해야 자신에게도 좋은 친구가 생깁니다. ❹ 긴 인생을 살아가면서 자신이 힘들거나 슬플 때 자신과 함께 있어 줄 친구가 있다면 그런 사람은 행복한 사람입니다.

어휘와 표현

금방	今すぐ	울다	泣く	친해지다	親しくなる
노력하다	努力する	인생	人生	편해지다	楽になる
마음	心	자기	自己、自分	행복하다	幸せだ
마음을 열다	心を開く	자신	自身、自分	힘들다	つらい、大変だ
상대방	相手、相手方	처음	初めて		
슬프다	悲しい				

友だちになるには 1

1 初めて会った人と友だちになることは簡単ではありません。しかし、簡単に友だちになれる方法があります。2 それは相手の話をよく聞くことです。人々は自分の話をよく聞いてくれる人に早く心を開くからです。3 そしてその人の目を見て笑いながら話すこともいいです。4 笑いながら話せば気持ちが楽になってすぐ親しくなります。

いい友だちとは 2

1 友だちはつらい時に一緒に話すことができる、悲しい時に一緒に泣いてくれることができる人です。2 友だちに困難なことがあれば友だちのそばにいてあげることができる人です。3 よい友だちはすぐにできるわけではありません。自分が先によい友だちになるように努力しなければ自分にもよい友だちはできません。4 長い人生を生きて行きながら自分がつらい時や悲しい時に自分と一緒にいてくれる友だちがいたらそういう人は幸せな人です。

■ YouTubeへのリンク先
➜「주말농장・봉사 활동・좋은 친구・경쟁」
「週末農場・ボランティア活動・良い友だち・競争」
＊YouTubeのリンク先が変更されている場合は上記のキーワードで検索してください。

■ **主要な文法事項**は、巻末に付録 (p.214) としてまとめて収録しています。
巻末の資料1と2の主要助詞、語尾・慣用表現リストを参考にしてください。

3 시간이 빨리 갈 때

114

1 왜 하고 싶은 일을 할 때는 시간이 빨리 가고, 하기 싫은 일을 할 때는 천천히 갈까요? **2** 그 이유는 사람의 마음에 따라 느끼는 시간이 다르기 때문입니다. **3** 한 대학의 교수가 두 사람에게 고양이 사진을 같은 시간 동안 보여 주었습니다. **4** 그런데 고양이를 좋아하는 사람보다 싫어하는 사람이 고양이를 더 오래 본 것처럼 느꼈습니다. **5** 이처럼 똑같은 시간이라도 사람마다 다르게 느낄 수 있습니다.

4 주말 농장

115

1 우리 가족은 휴일마다 주말 농장에 갑니다. 주말 농장은 서울에서 가까운 시골에 있어서 자동차로 한 시간쯤 걸립니다. **2** 주말 농장에 가면 도시에서 자라는 아이들에게 자연에 대해 가르쳐 줄 수 있습니다. **3** 우리는 주말 농장에서 호박[1]이나 오이, 가지나 무와 같은 채소를 기릅니다. **4** 시골의 맑은 공기를 마시면서 풀을 뽑고[2] 거름을 주고 씨를 뿌립니다. 집에서 가져 간 도시락을 먹으면서 즐거운 시간을 보냅니다.

어휘와 표현

가지	ナス(茄子)	똑같다	同じだ	주말 농장	週末農園
거름	肥し、肥料	무	大根	채소	野菜
교수	教授	시골	田舎	풀을 뽑다	草を抜く、むしる
기르다	育てる	씨를 뿌리다	種をまく	호박	カボチャ
느끼다	感じる	에 대해	～に対して	휴일	休日、休み
다르다	異なる	에 따라	～によって		
도시락	弁当	오래	長く		

時間が早く過ぎるとき　3

1 どうしてやりたいことをやっている時は時間が早く進み、やりたくないことをやる時はゆっくり進むのでしょうか。2 その理由は人の気持ちによって感じる時間が違うからです。3 ある大学の教授が二人の人に猫の写真を同じ時間見せました。4 ところが猫が好きな人より嫌いな人のほうが猫をもっと長く見ていたように感じたのです。5 このようにまったく同じ時間であっても人によって異なった形で感じることがあります。

週末農場　4

1 私の家族は休日の度に週末農園(貸し農園)に行きます。週末農園はソウルから近い田舎にあって自動車で1時間ぐらいかかります。2 週末農園に行くと都会で育つ子供たちに自然について教えることができます。3 私たちは週末農園でカボチャやキュウリ、ナスや大根のような野菜を育てます。4 田舎の澄んだ空気を吸いながら草を取り、肥料を施して種をまきます。家から持って行った弁当を食べながら楽しい時間を過ごします。

1) 主な野菜名：양상추 レタス、배추 白菜、양배추 キャベツ、시금치 ホウレン草、가지 ナス、당근 人参、무 大根、버섯 キノコ、감자 ジャガイモ、고구마 サツマイモ、고추 唐辛子、양파 玉ネギ、호박 カボチャ、애호박 ズッキーニ、콩나물 モヤシ、파 ネギ、미나리 セリ、쑥갓 春菊、부추 ニラ、상추 チシャ

2) 뽑다：①抜く、引き抜く、取り除く、②選ぶ、選出する、③(買って)取り出す
・잡초를 뽑다. 雑草を抜く。　이를 뽑다. 歯を抜く。　연기를 뽑다. 煙を抜く。
당선작을 뽑다. 当選作を選ぶ。　인재를 뽑다. 人材を取る。
자판기에서 음료수를 뽑아 마시다. 自販機から飲み物を買って取り出して飲む。

5 거짓말 116

❶ "나는 거짓말을 해 본 적이 한 번[3]도 없다" 는 말만큼 큰 거짓말도 없을 것입니다. ❷ 살아가면서 어쩔 수 없이 거짓말을 해야 할 경우도 있기 때문입니다. 물론 거짓말을 하는 것은 좋지 않습니다. ❸ 정직이 최선의 방법이라는 말도 있듯이 곤란한 일이 생겼더라도 거짓말로 모면하려고 하기보다는 처음부터 솔직하게 털어놓는 것이 현명한 선택입니다. ❹ 그것이 문제를 해결하는 데에도 신뢰를 지키는 데에도 도움이 됩니다.

6 혼자서는 결정하기가 117

❶ 나는 어떤 것을 선택할 때 오랫동안 생각만 하고 빨리 결정하지 못합니다. ❷ 결정하는 것이 어려워서 혼자서는 필요한 물건을 사려고 할 때도 잘 고르지 못합니다. ❸ 친구가 옆에 있으면 대개 친구가 하는 것을 따라 합니다. 그렇게 하면 내가 결정하지 않아도 돼서 마음이 편합니다. ❹ 하지만 언제까지나 그럴 수는 없습니다. 지금부터는 실패를 두려워하지 말고 작은 일부터 내가 하나씩 결정해 보려고 합니다.

어휘와 표현

거짓말	うそ	따르다	従う、倣う	어쩔 수 없이	やむを得ず
결정하다	決定する	모면하다	免れる	정직	正直
경우	場合	물론	もちろん	최선	最善
고르다	選ぶ	선택	選択	털어놓다	打ち明ける
곤란하다	困る、難しい	솔직하게	率直に	편하다	楽だ
도움이 되다	役に立つ	신뢰	信頼	현명하다	賢明だ、賢い
두려워하다	怖がる、恐れる	실패	失敗		

嘘 5

❶「私は嘘をついたことが一度もない」と言う話ほど大きな嘘もないでしょう。❷ 生きていく中で仕方なく嘘をつかなければならない場合もあるからです。もちろん嘘をつくのはよくないことです。❸ 正直さが最善の方法だという言葉もあるように困難なことが起きても嘘で免れようとするよりは最初から率直に打ち明けたほうが賢明な選択です。❹ それが問題を解決するにも信頼を守るにも役に立ちます。

一人では決めるのが… 6

❶ 私はあるものを選択する時に長い間考えるだけで早く決めることができません。❷ 決めるのが難しくて、一人では必要なものを買おうとする時もうまく選ぶことができません。❸ 友だちがそばにいればたいてい友だちがすることに倣います。そうすると私が決めなくてもいいので気が楽です。❹ しかし、いつまでもそうするわけにはいきません。これからは失敗を恐れないで小さなことから私が一つずつ決めてみようと思います。

3) 試しに一度の意の「한번」は一つの単語なので分かち書きをしない。回数を表わす「한 번(一回), 두 번(二回)…」の「한 번」は分かち書きをする。

・맛있으니까 한번 먹어 봐.　美味しいから一度食べてみて。
　궁금하면 한번 물어봐.　気になったら一度聞いてみて。
　한번 잘 생각해 봐.　一度よく考えてみて。
・한 번도 안 가 봤다.　一回も行ったことがない。
　한 번만 더 하고 갈게.　もう一回やっていくから。
　감기 한 번 걸린 적이 없다.　風邪を一回も引いたことがない。

7 봉사활동

118

1 나는 5년 전부터 장애인들의 나들이를 도와주는 봉사 활동을 하고 있다. **2** 몸이 불편한 사람들은 외출하기가 어렵기 때문에 집에서만 생활하는 사람들이 많다. **3** 그래서 장애인들은 여행은 물론이고 극장이나 놀이동산, 박물관, 동물원 같은 곳에도 못 가 본 사람이 많다. 이런 곳에 장애인을 데리고 가는 것이 내가 하는 활동이다. **4** 사진이나 텔레비전을 통해서만 봤던 것을 보고 즐거워하는 장애인들의 모습을 볼 때마다 보람을 느낀다.

8 화를 낼 때

119

1 상대방이 나 때문에 화가 나 있는 것은 아는데 내가 무엇을 잘못했는지 잘 모를 때가 있다. **2** 그럴 때 무조건 "미안하다" 는 말을 먼저 하게 되면 화가 나 있는 상대방이 오히려[4] 기분 나빠 할 수도 있다. **3** 이때는 솔직하게 왜 화를 내는지 모르겠다고 말하는 것이 좋다. **4** 마음에 없는 사과를 한다면 아마도 상대방은 금방 당신의 사과가 진심이 아니라는 것을 알게 될 것이다. 그러면 더 화가 날 것이다.

어휘와 표현

금방	今すぐ	물론이다	勿論だ	외출하다	外出する
기분이 나쁘다	不愉快だ	보람	やりがい	장애인	障害者
나들이	外出	봉사활동	ボランティア活動	진심	真心、本気
놀이동산	遊園地	사과하다	謝罪する、謝る	통하다	通じる
데리고 가다	連れて行く	상대방	相手	화가 나다	怒る、腹が立つ
무조건	無条件	오히려	むしろ	화를 내다	腹を立てる、怒る

ボランティア活動 7

1 私は5年前から障害者の外出を手助けするボランティア活動をしている。2 体が不自由な人たちは外出するのが難しいので家でばかり生活する人が多い。3 だから障害者は、旅行はもちろん、劇場や遊園地、博物館、動物園のような場所に行ったことのない人が多い。こういうところに障害者を連れて行くのが私のやっている活動だ。4 写真やテレビを通じてしか見たことのないものを見て喜ぶ障害者たちの姿を見る度にやりがいを感じる。

怒っているとき 8

1 相手が私のせいで怒っているのは分かるが、私の何が悪かったのかよく分からないときがある。2 そういうとき無条件に「すまない」ということを先に言うと怒っている相手がむしろ不愉快に思う可能性もある。3 こういう時は率直にどうして怒っているのかわからないと言ったほうがよい。4 心にもない謝罪をするとたぶん相手はすぐにあなたの謝罪が本気ではないということが分かるだろう。そうするとさらに怒るだろう。

4) 中級レベル主要副詞(1)

・갑자기 急に、겨우 やっと、그냥 そのまま・ただ、그대로 そのまま、금방 すぐに・今しがた、꼭 ぜひ・必ず、다만 単に・ただし、대개 大概、더욱 もっと・さらに、도대체 一体、따로 別に・ほかに、마치 まるで、마침 ちょうど、막 やたらに・ちょうど、바로 まっすぐ・まさに、반드시 必ず、비록 たとえ(〜でも)、새로 新たに、서로 互いに、역시 やはり、오래 長く・久しく、왠지 なぜだか、우선 まず、점점 徐々に・だんだんと、주로 主に、충분히 十分、특히 特に、한참 しばらく、함부로 勝手に、혹시 もし、훨씬 ずっと・はるかに

9 건전한 경쟁

120

1 성공한 사람들의 이야기를 들으면 부러운 마음이 생기고 이웃 집 새 자동차를 보면 자기도 좋은 자동차를 샀으면 좋겠다고 생각하게 된다. **2** 이렇게 다른 사람을 의식하는 것이 바로 경쟁의 시작이다. **3** 대부분의 사람들은 경쟁이라는 말에 대해 부정적인 느낌을 갖기도 하지만 경쟁은 자신을 발전시키는 힘이 된다. **4** 사람은 건전한 경쟁을 통해서 더 발전할 수 있고 실패를 극복하는 능력도 배울 수 있기 때문이다.

10 낯선 사람

121

1 어떤 모임에서 낯선 사람과 처음 만나게 되었을 때, 누구나 불편함을 느낀 적이 있을 것이다. **2** 어색함에서 오는 불편함을 없애기 위해서는 가벼운 대화를 하면서 나와 상대방에게 공통점이 있는지 알아보는 것이 좋다. **3** 만약[5)] 취미나 좋아하는 것이 같다면 처음 만난 사이라도 오래된 친구를 만난 것처럼 즐겁게 대화할 수 있게 될 것이다.

어휘와 표현

건전하다	健全だ	만약	もし(も)	성공하다	成功する
경쟁	競争	모임	集まり、会合	시작	始まり
공통점	共通点	발전하다	発展する	어색하다	ぎこちない
극복하다	克服する	부럽다	うらやましい	오래되다	古い、古くなる
낯설다	なじみが薄い	부정적	否定的	의식하다	意識する
능력	能力	불편하다	不便だ		
대화하다	対話する	새	新しい		

健全な競争　9

1 成功した人たちの話を聞くと羨ましい気持ちになり、隣の家の新しい自動車を見ると自分もいい自動車を買いたいと思うようになる。2 このように他人を意識することがまさに競争の始まりだ。3 ほとんどの人は競争という言葉に対して否定的な感情を持つこともあるが、競争は自分を発展させる力になる。4 人は健全な競争を通じてさらに発展することができるし、失敗を克服する能力も学ぶことができるからだ。

見知らぬ人　10

1 ある会合で見知らぬ人と初めて会った時、誰もが窮屈な思いをしたことがあるだろう。2 ぎこちなさからくる窮屈さをなくすためには軽い対話をしながら、自分と相手に共通点があるのか確かめてみたほうがよい。3 もし趣味や好きなことが同じだったら初めて会った間柄でも古い友だちに会ったように楽しく対話ができるようになるだろう。

5) 中級レベル主要副詞(2)

・게다가 それに、과연 果たして・さすが、그저 ただ、꾸준히 着実に・こつこつ、끝내 ついに、더구나 しかも・その上、도리어 かえって、도무지 まったく、도저히 とうてい、드디어 とうとう、마침내 ついに、모처럼 せっかく、무려 なんと・実に、설마 まさか、쓸데없이 いたずらに、어쨌든 とにかく、어쩌면 ひょっとしたら、어쩐지 どうやら、어차피 どうせ、억지로 無理やり、여전히 相変わらず、저절로 自然に、おのずと、제대로 まともに・ろくに、제법 案外・割と、진작 もっと早く・前もって、차라리 むしろ・かえって、할수없이 仕方なく

11 이야기 잘하는 사람 122

1 어떤 조직에서나 이야기를 잘하는[6] 사람이 인기를 얻는다. **2** 그들은 다른 사람들의 궁금증을 잘 풀어 줄 뿐만 아니라 어려운 것도 알기 쉽게 이야기할 줄 안다. **3** 그들은 특히 듣는 사람이 알아듣기 쉬운 말로 이야기를 잘한다. **4** 아무리 많은 지식을 가지고 있어도 어려운 용어로 말한다면 다른 사람의 궁금증을 풀어주기 힘들다. 또한 듣는 사람도 재미를 느끼지 못할 것이다.

12 쉬는 시간 123

1 사람들은 시간이 나면 습관적으로 무언가를 하면서 짧은 시간이라도 낭비하지 않으려고 한다. **2** 또 쉬는 시간을 버리는 시간으로 생각하고 불안해한다. **3** 그러나 쉬는 시간은 사람들의 내면을 자라게 해 준다. 자기 자신을 되돌아보고 반성할 수 있는 기회가 되기 때문이다. **4** 그뿐만 아니라 새로운 것을 꿈꾸고 앞으로 나아갈 수 있는 계기를 마련해 준다.

어휘와 표현

계기	きっかけ
궁금증	疑問に思うこと、知りたい気持ち
그뿐만 아니라	それだけでなく、そのうえに
기회	機会
꿈꾸다	夢見る
낭비하다	浪費する
내면	内面
되돌아보다	振り返る
마련하다	用意する
무언가	何か
반성하다	反省する
버리다	捨てる
불안해하다	不安がる
습관적	習慣的
알아듣다	理解する
용어	用語
인기	人気
자라다	育つ
조직	組織
지식	知識
풀어 주다	解消してくれる

話が上手な人 11

1 どんな組織でも話が上手な人が人気をあつめる。2 彼らは他の人たちの疑問点をうまく解消してくれるだけでなく難しいこともわかりやすく話すことができる。3 彼らは特に聞く人が理解しやすい言葉で上手に話をする。4 いくら多くの知識を持っていても難しい用語で話すと他の人の疑問点を解消してあげることは難しい。また聞く人も面白く思わないだろう。

休む時間 12

1 人々は時間が空くと習慣的に何かをして短い時間でも浪費しないようにしようとする。2 また休む時間を無駄な時間だと思って不安に思う。3 しかし、休む時間は人々の内面を育ててくれる。自分自身を省みて反省できる機会になるからだ。4 それだけでなく新しいことを夢見て先に進めるきっかけを用意してくれる。

6) 잘하다：①上手だ、うまい、得意だ、②(くせで)よく～する、③正しくする、④(親切に・心を込めて)よくしてあげる、尽くす、⑤(잘하면の形で)うまく行けば、⑥(잘해야の形で)せいぜい、多く見積もっても

・공부를 잘하다. 勉強ができる。 노래를 잘하다. 歌が上手だ。
울기를 잘하다. よく泣く。 웃기를 잘하다. よく笑う。
잘한 결정. よくやった決定。 부모에게 잘하다. 親に尽くす。
잘하면 합격할 지도 모른다. うまく行けば合格するかもしれない。
잘해야 열 명쯤 될 것 같다. 多く見積もっても10人ぐらいになりそうだ。

第13章

문화

文化

1 영화제 124

❶ 부산 해운대에서는 매년 10월초에 부산국제영화제가 열립니다. ❷ 이것은 세계 각국의 영화를 소개하는 영화제입니다. 한국에서는 쉽게 볼 수 없는 영화들을 많이 볼 수 있습니다. ❸ 영화를 보고 영화를 만든 사람과 이야기도 할 수 있습니다. 그리고 영화에 나온 배우들을 보고 사진을 찍을 수도 있습니다. ❹ 영화를 사랑하는 사람들은 열흘 동안 세계 여러 나라의 영화를 마음껏 볼 수 있는 좋은 기회입니다.

2 식사 예절(1) 125

❶ 보통 한국과 일본의 음식 문화는 밥과 반찬 중심이어서 식사 예절도 비슷할 거라고 생각하기 쉽습니다. ❷ 한국과 일본은 비슷한 점도 많지만 다른 점도 많습니다. 한국에서는 젓가락을 식탁 위에 세로로 놓지만 일본은 가로로 놓습니다. ❸ 일본에서는 밥이나 국그릇은 왼손에 들고 먹지만 한국에서는 그릇을 들고 먹으면 야단을 맞습니다. ❹ 밥그릇과 국그릇은 식탁에 놓고 먹는 것이 기본이기 때문입니다.

어휘와 표현

가로	横	들다	持つ	식탁	食卓
각국	各国	마음껏	思う存分	야단을 맞다	叱られる
국그릇	汁茶碗	문화	文化	열흘	十日
국제영화제	国際映画祭	반찬	おかず	왼손	左手
그릇	食器、碗	부산 해운대	(地)釜山海雲台	젓가락	箸
기본	基本	세로	縦	중심	中心
다르다	違う、異なる	식사 예절	食事マナー	-초	～初め

映画祭 1

1 釜山海雲台では毎年10月初めに釜山国際映画祭が開催されます。2 これは世界各国の映画を紹介する映画祭です。韓国では簡単に観ることが出来ない映画をたくさん観ることができます。3 映画を観て映画を作った人と話もできます。そして映画に出た俳優たちに会って写真を撮ることもできます。4 映画を愛する人たちにとっては、10日間世界各国の映画を思う存分観られるよい機会です。

食事マナー(1) 2

1 普通韓国と日本の食べ物文化はご飯とおかずが中心なので食事マナーも似ていると考えやすいです。2 韓国と日本は似ている点も多いですが、異なる点も多いです。韓国では箸を食卓の上に縦におきますが、日本は横に置きます。3 日本ではご飯や汁茶碗は左手に持って食べますが、韓国では茶碗を持って食べると叱られます。4 ご飯茶碗と汁茶碗は食卓に置いて食べるのが基本だからです。

■ YouTubeへのリンク先
➜「영화제・돌잔치・추석 송편・민속놀이・전통음악」/「映画祭・1歳の誕生日パーティー・秋夕のソンピョン・民俗遊び・伝統音楽」
➜「판소리・가야금/거문고・사물놀이・탈춤・마당극」/「パンソリ・カヤ琴/コムンゴ・サムルノリ(打楽器合奏)・仮面劇・マダン(広場)劇」
*リンク先が変更されている場合は上記のキーワードで検索してください。

3 식사 예절(2)

126

1 한국에서는 식사할 때 젓가락뿐만 아니라 숟가락도 같이 사용합니다. 2 밥과 국은 숟가락으로 먹고 다른 반찬은 젓가락으로 먹습니다. 그러나 일본에서는 밥이나 국이나 모두 젓가락으로 먹습니다. 3 술자리에서도 한국에서는 술잔이 비어 있을 때 술을 따라 주어야 합니다. 술잔에 술이 남아 있는데 술을 더 부으면 예의가 아니라고 생각합니다. 4 하지만 일본에서는 이렇게 하는 것이 이상한 일이 아닙니다.

4 돌잔치

127

1 한국에서는 아이가 태어나서의 첫 번째 생일을 돌이라고 합니다. 이 날에는 친척이나 친지들을 초대해서 잔치를 합니다. 2 그리고 아이 앞에 연필이나 돈과 같은 물건을 놓고 아이가 잡게[1)] 합니다. 3 아이가 공을 잡으면 운동선수, 마이크를 잡으면 연예인, 연필을 잡으면 선생님이 될 것이라고 생각합니다. 돈은 부자를 의미합니다. 4 어느 것이나 모두 아이의 건강과 행복을 생각하는 마음이 들어 있습니다.

어휘와 표현

돌	1歳の誕生日	술자리	酒席	잡다	つかむ、握る、取る
마음이 들다	気に入る	술잔	杯	친지	親しい知り合い
부자	金持ち	예의가 아니다	失礼だ	친척	親戚
붓다	注ぐ	의미하다	意味する	태어나다	生まれる
비다	空く	이상하다	変だ、おかしい		

食事マナー(2) 3

1 韓国では食事するとき箸だけでなくスプーンも一緒に使います。2 ご飯と汁物はスプーンで食べて、他のおかずは箸で食べます。しかし、日本ではご飯も汁物もみんな箸で食べます。3 酒の席でも韓国では杯が空いてから酒を注がなければなりません。杯に酒が残っているのに酒をさらに注ぐと失礼だと思われます。4 しかし、日本ではそのようにするのがおかしいことではありません。

1歳の誕生日パーティー 4

1 韓国では子供が生まれてからの最初の誕生日をトルと言います。この日は親戚や知り合いを招待してパーティーをします。2 そして子供の前に鉛筆やお金などのものを置いて子供がつかめるようにします。3 子供がボールをつかめばスポーツ選手、マイクをつかめば芸能人、鉛筆をつかめば先生になると考えます。お金は金持ちを意味します。4 どれもすべて子供の健康と幸せを思う気持ちが込められています。

1) 잡다：①つかむ、握る、取る、②(場所・方向・日にちを)決める、定める、③とらえる、捕る、つかまえる、④(タクシーを)拾う、⑤得る、手に入れる、⑥(基準を)立てる、設ける

・손을 잡다. 手を握る。　권력을 잡다. 権力を握る。　숙소를 잡다. 宿を取る。
날짜를 잡다. 日取りを決める。　도둑을 잡다.　泥棒を捕らえる。
벌레를 잡다. 虫をつかまえる。　카메라로 잡다. カメラで捉える。
택시를 잡다. タクシーを拾う。　기회를 잡다.　機会を得る。
직장을 잡다. 職を得る。　기준으로 잡다. 基準として設ける。

5 민속놀이 128

1 민속놀이는 옛날부터 사람들이 즐겨온 전통적인 놀이입니다. 한국에도 여러 가지 민속놀이가 있습니다. **2** 그 중에서 한국 사람들이 지금도 즐겨 하는 놀이로는 널뛰기, 연날리기, 윷놀이, 그네뛰기와 같은 것이 있습니다. **3** 한국 사람들은 설날이나 대보름, 단오, 그리고 추석과 같은 명절에 가족이나 이웃 사람들과 함께 이 놀이들을 즐겼습니다. **4** 대부분의 민속놀이는 누구나 쉽게 할 수 있는 놀이입니다.

6 설날 129

1 음력 1월 1일은 한국에서 가장 큰 명절인 설날입니다. 설에는 많은 사람들이 고향으로 돌아가서 가족과 함께 명절을 지냅니다. **2** 설날 아침에는 조상에게 차례[2]를 지내고 부모님들께 세배를 합니다. 절을 하고[3] 나면 부모님께서 세뱃돈을 주십니다. **3** 설날 아침에는 떡국을 먹습니다. 떡국을 먹으면 나이를 한 살 더 먹는다는 말이 있습니다. **4** 오랜만에 모인 가족들은 그동안의 이야기를 나누기도 하고 윷놀이를 하기도 합니다.

어휘와 표현

그네뛰기	ぶらんこ乗り	명절	祝日	전통적 놀이	伝統的な遊び
나이	年、年齢	민속놀이	民俗遊び	조상	祖先
나이를 먹다	年を取る	설날＝설	元日、正月	즐기다	楽しむ
널뛰기	板跳び遊び	세배	新年のあいさつ	차례	祭祀
단오	端午	세뱃돈	お年玉	추석	チュソク、中秋節
대보름	正月15日	연날리기	凧あげ		
떡국	雑煮、トックク	윷놀이	ユンノリ		

民俗遊び　5

1 民俗遊びは昔から人々が楽しんで来た伝統的な遊びです。韓国にもいろいろな民俗遊びがあります。**2** その中で韓国の人々が今も好んでやっている遊びとしては板跳び、たこ揚げ、ユンノリ、ブランコ乗りのようなものがあります。**3** 韓国の人々はお正月や小正月、端午、そして秋夕のような祝日に家族や近所の人たちと一緒にこの遊びを楽しみました。**4** ほとんどの民俗遊びは誰でも簡単にできる遊びです。

ソルラル(旧正月)　6

1 旧暦の1月1日は韓国で最も大きい祝日のソルラル(旧正月)です。旧正月には多くの人が故郷に帰って家族と一緒に祝日を過ごします。**2** 旧正月の朝は先祖に祭祀を行い、両親に新年の挨拶をします。チョル(平伏の深いお辞儀)をしてから両親がお年玉をくれます。**3** 旧正月の朝にはトックㇰ(お雑煮)を食べます。トッククを食べると年をもう1歳取るという話があります。**4** 久しぶりに集まった家族たちは近況を話したりユンノリをしたりします。

2) 차례と제사：両方とも祭祀と訳されることが多いが、차례(茶礼)は설날(元旦)や추석(秋夕)の朝に行う簡単な祭祀のことをいい、제사(祭祀)は祖先の命日に行われる忌祭祀(기제사)のことをいう。忌祭祀は夜に行われる。
3) 「절을 하다」は多くの辞書に「お辞儀をする、会釈をする、拝む」と説明されているが、これは単純なお辞儀ではなく、床にひざまずいて手をつき、頭を深く下げて礼をすることを言う。現在は祭祀のときや墓参り、祖父母や長老に対する新年のあいさつなど特別な場合に行われる。

7 추석과 송편

130

❶ 음력[4] 8월 15일의 추석에는 환하고 둥근 보름달이 뜬다. ❷ 그런데 추석 때 먹는 송편은 보름달이 아닌 반달 모양이다. 이는 반달이 현재보다 더 나은 미래를 의미하기 때문이다. ❸ 즉 보름달은 밝고 완전한 모양이지만 시간이 지나면서 점점 작아지는 데 반해 반달은 머지않아 크고 환한 보름달이 된다. ❹ 이처럼 송편의 반달 모양에는 앞으로 모든 일이 발전해 나가기를 바라는 희망이 담겨 있다.

8 음식 문화

131

❶ 음식 문화는 나라에 따라 다르다. 나라마다 기후가 다르고 생활 습관이 다르기 때문이다. ❷ 요즘에는 해외 여행의 기회가 늘어나고, 다른 나라와의 교류가 증가함에 따라 낯선 문화와 음식을 만나는 기회가 예전보다 훨씬 더 많아졌다. ❸ 그리고 그 음식들 중 어떤 것은 우리의 음식 문화와 너무 달라서 가끔 놀랄 때가 있기도 한다. ❹ 하지만 나라마다의 고유한 특성을 이해한다면 그렇게 놀라운 일만은 아닐 것이다.

어휘와 표현

고유하다	固有だ	둥글다	丸い	에 반해	～に反して
교류	交流	뜨다	昇る、出る	완전하다	完全だ
기회	機会	머지않아	まもなく	음력	陰暦、旧暦
기후	気候	모양	形	증가하다	増加する
낫다	よい、勝っている	미래	未来	추석	チュソク、中秋節
낯설다	なじみの薄い	반달	半月	특성	特性
놀라다	驚く	보름달	満月、十五夜の月	환하다	明るい
놀랍다	驚くべきだ	송편	ソンピョン(餅)	희망	希望

秋夕とソンピョン 7

1 旧暦の8月15日の秋夕(チュソク)には明るくて丸い十五夜の月が昇る。2 ところが秋夕に食べるソンピョンは十五夜の月ではなく半月の形をしている。これは半月が現在よりよりよい未来を意味するからだ。3 すなわち十五夜の月は明るくて完全な形だが、時間が経つにつれてだんだん小さくなるのに比べて、半月はほどなく大きくて明るい十五夜の月になる。4 このようにソンピョンの半月の形にはこれからすべてのことが発展して行くことを願う希望が込められている。

食べ物の文化 8

1 食べ物の文化は国によって異なる。国ごとに気候が異なり、生活習慣が異なるからだ。2 最近は海外旅行の機会が増え、他の国との交流が増えることによってなじみの薄い文化と食べ物に出会う機会が以前よりはるかに多くなった。3 そしてその食べ物の中のあるものは我々の食べ物の文化とあまりにも違い過ぎてときに驚くことがあったりする。4 しかし、国ごとの固有の特性を理解出来たらそれほど驚くべきことではないだろう。

4) 旧暦を基準とする祝日には、설날(旧正月)、석가탄신일(釈迦誕生日)、추석(秋夕)の3つがある。旧正月は旧暦の元旦、釈迦誕生日は旧暦の4月8日、秋夕は旧暦の8月15日で、太陽暦のカレンダー上の日付は毎年変わる。
- 설날、어린이날(子供の日)、추석の祝日が日曜日と重なる場合、次の平日が振替休日になる。このうち、子供の日については土曜日と重なった場合にも次の平日が振替休日になる。
- 설날と추석はそれぞれ3日間の休みとなる。この時期は帰省ラッシュがあり、交通機関は大変混雑する。

9 공연을 즐기다 132

❶ 바쁜 현대인들은 시간을 내서 공연장에 가는 것을 다소 부담스럽게 느끼기도 한다. ❷ 이런 현대인들을 위해 요즘 '찾아가는 공연' 이나 '거리 공연' 같은 작은 공연들이 생겨나 인기를 끌고[5)] 있다. ❸ 생활 공간에서 좀 더 쉽고 친근하게 공연을 즐길 수 있기 때문이다. ❹ 이처럼 가까운 곳에서 가벼운 마음으로 즐길 수 있는 공연들이 많아질 필요가 있다.

10 음악을 소비하는 시대 133

❶ 21세기는 음악의 구입과 청취가 온라인으로 이루어지고 있어 음악을 소비하는 시대라고 불린다. ❷ 그런데 최근 음악 애호가들을 중심으로 이미 골동품이 되어 버린 카세트테이프를 구입하려는 사람들이 늘어나고 있다. ❸ 그들은 카세트테이프를 단순히 음악 감상의 도구가 아닌 소장하고 싶은 물건으로 생각한다. ❹ 여기에는 카세트테이프를 구입함으로써 자신이 좋아하는 음악가의 앨범을 오랫동안 간직하고 싶다는 마음이 담겨 있다.

어휘와 표현

간직하다	大切に保管する	마음이 담기다	気持ちがこもる	앨범	アルバム
골동품	骨董品	부담스럽다	負担に思う	인기를 끌다	人気を集める
공간	空間	생활	生活	중심	中心
공연장	公演会場	소비하다	消費する	청취	聴取
구입하다	購入する、買う	소장하다	所蔵する	친근하다	親しい
다소	多少	애호가	愛好家	현대인	現代人

公演を楽しむ　9

1 忙しい現代人は時間を作って公演会場に行くことを少し負担に感じたりする。2 このような現代人のために最近「訪ねて行く公演」や「ストリート公演」のような小さな公演が出現して人気を集めている。3 生活空間でもう少し簡単に親しみやすく公演を楽しむことができるからだ。4 このように近いところで気軽に楽しむことができる公演が増える必要がある。

音楽を消費する時代　10

1 21世紀は音楽の購入と聴取がオンラインで行われているので音楽を消費する時代だと言われる。2 ところが最近音楽愛好家らを中心にすでに骨董品になってしまったカセットテープを購入しようとする人が増えている。3 彼らはカセットテープを単純に音楽鑑賞の道具ではなく所蔵したいものとして考える。4 これにはカセットテープを購入することで自分の好きな音楽家のアルバムを長く持ち続けたいという気持ちが込められている。

5) 끌다：①引きずる、②引く、引っ張る、③(注目・人目を)引く、集める、④引き延ばす、遅らせる、⑤(水道・ガスなどを)引く。

・바지를 끌다.　ズボンを引きずる。　신발을 끌다. くつを引きずる。
리어카를 끌다. リヤカーを引く。　말을 끌다.　馬を引く。
눈을 끌다.　人目を引く。　인기를 끌다. 人気を集める。
시간을 끌다.　時間を引き延ばす。時間を稼ぐ。
여운을 끌다.　余韻を引く。　수도(가스)를 끌다. 水道(ガス)を引く。

11 문화와 풍습

134

1 지구상[6]에는 많은 민족들이 살고 있으며 이들은 각기 독특한 문화와 풍습을 가지고 있다. **2** 각 민족들이 가지고 있는 고유한 문화와 풍습은 그들이 사는 지역의 자연 환경과 어울려 서로 다른 모습으로 형성되었고, 그 속에는 그들 조상들의 지혜가 담겨 있다. **3** 문화에는 특별히 우월한 것도 열등한 것도 없다. **4** 세계 모든 민족의 문화를 이해하고 존중해 주는 자세가 필요하다.

12 인사 예절

135

1 인사 예절은 나라마다 다르다. 한국과 일본은 처음 만나는 사람에게 고개를 숙이고 허리를 굽혀서 인사를 하는 것이 예의다. **2** 하지만 서양에서는 대부분의 경우 악수를 하며 인사를 한다. **3** 미국[7]에서는 손에 힘을 주고 악수를 하는 것이 예의지만, 영국이나 프랑스에서는 가볍게 악수를 한다. **4** 프랑스에서는 가까운 사람과 만났을 때 상대방의 뺨에 뽀뽀를 하며 인사를 하는 것이 특징이다.

어휘와 표현

각기	それぞれ	서양	西洋	존중하다	尊重する
고개를 숙이다	頭を下げる	악수	握手	지구상	地球上
고유하다	固有だ	어울리다	交わる、調和する	특징	特徴
담기다	込められる	열등하다	劣等だ	풍습	風習
독특하다	独特だ	예의	マナー、礼儀	허리를 굽히다	腰をかがめる
민족	民族	예절	礼節、マナー	형성되다	形成される
뺨	頬	우월하다	優越だ	환경	環境
뽀뽀	キス、ちゅう	조상	祖先	힘을 주다	力を入れる

文化と風習 11

1 地球上には多くの民族が暮らしており、彼らはそれぞれ独特な文化と風習を持っている。2 各民族が持っている固有の文化と風習は彼らが住む地域の自然環境と調和して互いに異なる姿に形成された。その中には彼らの祖先の知恵が込められている。3 文化には特別に優れたものも劣ったものもない。4 世界すべての民族の文化を理解し、尊重する姿勢が必要だ。

あいさつマナー 12

1 あいさつマナーは国によって異なる。韓国と日本は初めて会う人に頭を下げて腰をかがめてあいさつをすることがマナーだ。2 しかし、西洋ではほとんどの場合、握手をしながらあいさつをする。3 アメリカでは手に力を入れて握手をするのがマナーだが、イギリスやフランスでは軽く握手をする。4 フランスでは親しい人と会った時は相手の頬にキスをしてあいさつをするのが特徴だ。

6) −상：～上。名詞に付いて、関係、側面、観点、位置などを表わす。
・미관상 美観上、 사실상 事実上、 사업상 事業上、
역사상 歴史上、 전설상 伝説上、 통신상 通信上、
지도상의 한 점. 地図上の一点。직선상의 거리. 直線上の距離。

7) 主要国名：네덜란드：オランダ、독일：ドイツ、러시아：ロシア、몽골：モンゴル、미얀마：ミャンマー、베트남：ベトナム、벨기에：ベルギー、아르헨티나：アルゼンチン、오스트레일리아：オーストラリア、이집트：エジプト、이탈리아：イタリア、칠레：チリ、캐나다：カナダ、필리핀：フィリピン、태국：タイ、터키：トルコ

13 나라마다의 관습 136

❶ 나라마다 관습이 다른 것은 누구나 알 것이다. "로마에 가면 로마의 법을 따라야[8] 한다."는 말이 있다. ❷ 이것은 지금 자기가 있는 곳의 관습을 따라야 한다는 말이다. ❸ 요즘 외국에 가서 그 곳의 법이나 관습을 따르지 않아서 곤란해진 사람들의 이야기를 자주 듣는다. ❹ 우리가 다른 나라에 여행을 가거나 그 나라에서 생활하게 될 경우, 먼저 그 나라의 기본적인 관습은 알아 두는 것이 좋겠다.

14 전통문화의 소멸 137

❶ 교통 수단과 통신의 발달로 세계는 점점 좁아지고 있다. ❷ 이제는 지구 반대편에서 벌어지고 있는 축제를 텔레비전을 통해 동시에 즐길 수 있고, 유럽에서 유행하는 옷을 아시아의 길거리에서도 쉽게 볼 수 있게 되었다. ❸ 그런데 안타까운 것은 각 민족이 가진 전통적인 문화가 점차 사라져 가고 있다는 점이다. ❹ 이러다가 우리의 고유한 문화도 박물관에서나 볼 수 있게 되는 것이 아닌가 걱정이 된다.

어휘와 표현

곤란하다	困る、困難だ	민족	民族	유럽	ヨーロッパ
관습	慣習	반대편	反対側	유행하다	流行する
교통 수단	交通手段	발달	発達	전통적	伝統的
기본적	基本的	벌어지다	行われる	점차	次第に
길거리	街角	법	法	좁아지다	狭くなる
동시	同時	사라지다	消える	지구	地球
따르다	従う	세계	世界	축제	祭り、祝祭
문화	文化	안타깝다	切ない、残念だ	통신	通信

国ごとの慣習 13

1 国ごとに慣習が異なることは誰でも知っていると思う。「ローマに行けばローマの法に従わなければならない。」という言葉がある。2 これはいま自分がいるところの慣習に従わなければならないという話だ。3 最近外国に行ってそこの法律や慣習に従わなくて困ったことになった人たちの話をよく聞く。4 私たちが外国に旅行に行くかその国で生活するようになった場合、まずその国の基本的な慣習は知っておいたほうがよい。

伝統文化の消滅 14

1 交通手段と通信の発達で世界はますます狭くなっている。2 いまは地球の反対側で行われている祭りをテレビを通じて同時に楽しむことができるし、ヨーロッパで流行っている服がアジアの街角でも普通に見かけられるようになった。3 しかし、残念なことは各民族が持っている伝統的な文化が次第に消えつつあるという点だ。4 こうなっていくと我々の固有の文化も博物館でしか見られないようになるのではないかと心配になる。

8) 따르다：①追う、ついていく、従う、②なつく、③伴う、④沿う、⑤まねる、倣う、⑥つぐ、差す

・행렬을 따르다.	行列を追う。	어머니를 따라 가다.	母についていく。
유행을 따르다.	流行を追う。	관례에 따르다.	慣例に従う。
선배를 따르다.	先輩になつく。	선생님을 잘 따르다.	先生によく従う。
책임이 따르다.	責任が伴う。	부작용이 따르다.	副作用が伴う。
복도를 따라서.	廊下に沿って。	해안선을 따라서.	海岸線に沿って。
따라 그리다.	まねて描く。	술을 따르다.	酒をつぐ。

第14章 생활일반

生活一般

1 고양이 138

❶ 나는 형제가 없어서 늘 심심했습니다. 아버지가 지난 주에 내 생일 선물로 작은 고양이 한 마리를 사 주었습니다. ❷ 태어난 지 두 달밖에 안 되는 작은 고양이입니다. 이 고양이는 하루 종일 나와 놀고 싶어합니다. ❸ 나는 이 작고 귀여운 고양이를 돌보는 것이 매우 즐겁습니다. 그런데 아직 이름이 없습니다. ❹ 예쁜 이름을 지어[1] 주고 싶은 데 좋은 생각이 있으면 알려 주세요.

2 강아지 139

❶ 시골 이모 집에서 태어난 지 얼마 안 되는 강아지를 얻어 와서 키웠습니다. ❷ 강아지의 이름은 '꼬마'였습니다. 매일 저녁에 꼬마를 데리고 산책을 나가면 이리 뛰고 저리 뛰고 하면서 아주 좋아했습니다. ❸ 그런데 이제 꼬마가 몸집이 커져서 내가 사는 아파트에서는 키울 수 없게 되었습니다. ❹ 지난 주말에 다시 꼬마를 이모 집으로 보냈습니다. 꼬마는 자유롭게 뛰어놀 수 있는 그곳을 더 좋아하는 것 같습니다.

어휘와 표현

꼬마	ちびっこ
꼬맹이	ちび
데리다	連れる、率いる
돌보다	面倒を見る
뛰다	走る
뛰어놀다	遊ぶ、飛び回る
몸집	体格、体つき
심심하다	退屈だ
얻다	もらう、得る
얼마 안 되다	間もない
이모	おば(母の姉妹)
자유롭게	自由に
짓다	(名前を)つける
커지다	大きくなる
키우다	飼う、育てる
태어나다	生まれる
하루 종일	一日中

猫 1

1 私は兄弟がいないのでいつも退屈でした。父が先週私の誕生日プレゼントとして子猫を1匹買ってくれました。2 生まれて2か月しか経っていない子猫です。この猫は一日中私と遊びたがります。3 私はこの小さくて可愛い猫の面倒を見るのがとても楽しいです。しかし、まだ名前がありません。4 かわいい名前をつけてあげたいのですが、いいアイデアがあれば教えてください。

子犬 2

1 田舎の叔母の家から生まれて間もない子犬を貰って来て育てました。2 子犬の名前は「チビ」でした。毎日夕方にチビを連れて散歩に出かけるとあっちこっちへ走ってとても喜びました。3 ところがいまはチビの体格が大きくなって、私が住んでいるマンションでは飼うことができなくなりました。4 先週末にまたチビを叔母の家に返しました。チビは自由に走り回って遊べるその家のほうがもっと好きなようです。

■ YouTubeへのリンク先
➔「고양이・강아지・쓰레기 종량제・벼룩시장・김장」
「猫・子犬・ゴミ従量制・フリーマーケット・キムジャン(越冬用キムチの漬け込み)」
*YouTubeのリンク先が変更されている場合は上記のキーワードで検索してください。

■ **主要な文法事項**は、巻末に付録 (p.214) としてまとめて収録しています。
巻末の資料1と2の主要助詞、語尾・慣用表現リストを参考にしてください。

3 1인분 식품

140

1 요즘 혼자 사는 사람을 위한 서비스를 주위에서 많이 볼 수 있습니다. **2** 편의점이나 슈퍼마켓에서는 과일이나 채소를 혼자서 먹을 만큼의 적은 양으로도 팝니다. **3** 그리고 혼자 오는 손님이 편하게 먹을 수 있도록 메뉴와 식탁을 배치한 식당도 많이 생기고 있습니다. 또한 작은 아파트를 찾는 사람도 많아지고 있습니다. **4** 이처럼 혼자 사는 사람이 계속 늘면서 크기가 작고 양이 적은 상품들의 판매가 늘고 있습니다.

4 쓰레기를 줄이려면

141

1 쓰레기를 줄이려면 어떻게 해야 하는지 생각해 봅시다. **2** 첫째, 먹을 만큼의 음식만 만드는 것이 중요합니다. 그리고 먹다 남은 음식물은 말려서 버리는 것이 좋습니다. **3** 둘째, 오래 된 의자나 책상 같은 가구들도 색칠을 다시 하거나 고쳐서 쓰면 쓰레기를 줄일 수 있습니다. **4** 특히 아이들이 쓰는 가구는 새로 사는 것보다 쓰던 가구를 아이들이 원하는 색깔이나 모양으로 바꿔 주면 더 좋습니다.

어휘와 표현

가구	家具	배치하다	配置する	줄이다	減らす
계속	継続して、続けて	상품	商品	찾다	求める、探す
고치다	直す	색깔	色	채소	野菜
남다	残る	색칠을 하다	色を塗る	특히	特に
늘다	増える	쓰레기	ごみ	판매	販売
말리다	乾かす	양	量		
바꾸다	変える	원하다	願う、望む		

1人分の食品 3

1 最近一人暮らしの人のためのサービスが周りで多く見られます。2 コンビニやスーパーマーケットでは果物や野菜を一人で食べられるだけの少ない量でも売っています。3 そして一人で来るお客さんが気楽に食べられるようにメニューと食卓を配置した食堂も多くできています。また小さいマンションを求める人も多くなっています。4 このように一人暮らしの人が増え続けるにつれて大きさが小さく、量が少ない商品の販売が増えています。

ごみを減らすには 4

1 ごみを減らすにはどうすればいいか考えてみましょう。2 第一に食べられるだけの料理を作ることが大事です。そして食べ残しの料理は乾かして捨てたほうがいいです。3 第二に古くなった椅子や机のような家具も色を塗り直したり修理して使えばごみを減らすことができます。4 特に子供たちが使う家具は新たに買うより使っていた家具を子供たちが望む色や形に変えてあげればもっといいです。

1) 짓다：①(建物を)建てる、②(ご飯を)炊く、③(薬を)調合する、④(名前を)つける、⑤(文章を)つくる、書く、⑥(表情を)つくる、浮かべる、⑦(嘆息を)つく、もらす、⑧(結論を)出す、つける、⑨(罪を)犯す、⑩(農作業を)する、(作物を)つくる
집을 짓다. 家を建てる。 밥을 짓다. ご飯を炊く。 약을 짓다. 薬を調合する。
이름을 짓다. 名前をつける。 노랫말을 짓다. 歌詞をつくる。
눈물을 짓다. 涙を浮かべる。 한숨을 짓다. ため息をつく。
결론을 짓다. 結論を出す。 죄를 짓다. 罪を犯す。
농사를 짓다. 農業をする。

5 벼룩시장

142

❶ 매주 토요일 우리 동네에는 작은 시장이 열립니다. 사람들은 자기가 직접 손으로 만든 것들을 가지고 와서 팝니다. ❷ 그림을 그려서 팔기도 하고 돌이나 나무에 조각을 해서 팔기도 합니다. ❸ 치마나 티셔츠, 손수건을 예쁘게 만들어서 팔기도 합니다. 화분에 꽃을 길러서[2)] 파는 사람도 있습니다. ❹ 여기에서 파는 물건들은 똑같은 것이 하나도 없습니다. 그래서 젊은 사람들이 이곳을 좋아합니다.

6 종이 책

143

❶ 나는 책을 빌려서 보지 않고 사서 봅니다. 책을 읽으면서 책에 메모하는 것을 좋아하기 때문입니다. ❷ 도서관에서 책을 빌리면 깨끗하게 보고 돌려줘야 합니다. 좋은 생각이 나도 책에 메모를 하면 안 됩니다. ❸ 그렇지만 서점에서 책을 사서 보면 내 생각을 바로 책에 적을 수 있어서 좋습니다. ❹ 요즘 전자책이 인기가 있지만 나는 내 생각을 메모할 수 있는 종이 책을 좋아합니다.

어휘와 표현

기르다	育てる
돌	石
돌려주다	返す
동네	地元、町、辺り
똑같다	まったく同じだ
메모하다	メモする
바로	すぐ
빌리다	借りる
생각이 나다	思いつく
열리다	開かれる
인기	人気
적다	記す、書く
전자책	電子ブック
조각	彫刻
직접	直接
화분	植木鉢

フリーマーケット 5

1 毎週土曜日、私の町には小さな市場が開かれます。人々は自分の手で直接作ったものを持って来て売ります。2 絵を描いて売ったり石や木に彫刻をして売ったりします。3 スカートやTシャツ、ハンカチをかわいく作って売ったりします。植木鉢に花を育てて売る人もいます。4 ここで売っているものは同じものが一つもありません。だから若い人たちはここが好きです。

紙の本 6

1 私は本を借りて読まないで買って読みます。本を読みながら本にメモするのが好きだからです。2 図書館で本を借りるときれいに読んで返さなければなりません。いい考えが思いついても本にメモをしてはいけません。3 しかし、書店で本を買って読むと私の考えをすぐ本に書くことができるのでいいです。4 最近電子ブックが人気ですが、私は私の考えをメモすることができる紙の本が好きです。

2) 기르다：①(動植物・人などを)育てる、飼う、②(人材を)育成する、③(体力・能力・精神などを)養う、④身につける、⑤(髪・髭などを)伸ばす、生やす

・개를 기르다.	犬を飼う。	꽃을 기르다.	花を育てる。
자식을 기르다.	子供を育てる。	제자를 기르다.	弟子を育てる。
능력을 기르다.	能力を養う。	사고력을 기르다.	思考力を養う。
체력을 기르다.	体力をつける。	습관을 기르다.	習慣をつける。
태도를 기르다.	態度を身につける。	수염을 기르다.	ひげを生やす。
머리를 기르다.	髪を伸ばす。		

7 상품 광고

144

❶ 보통 귀로 듣는 것이 눈으로 보는 것보다 더 오래 머리에 남습니다. ❷ 그래서 지금까지 광고에서는 음악을 많이 이용해 왔습니다. 최근에는 소리도 많이 이용합니다. ❸ 음식 광고 중에는 먹는 소리를 이용해서 상품을 알리는 광고가 많습니다. ❹ 김치 먹는 소리 '아삭 아삭' 이나 국수 먹는 소리 '후루룩 후루룩' 은 그 상품을 더욱 인상에 남게 해 줍니다.

8 김장의 계절

145

❶ 요즘 대형 할인 매장에는 김장을 하려고 배추와 무를 찾는 주부들이 늘고[3] 있습니다. ❷ 하지만 채솟값이 크게 올라서 걱정입니다. 더구나 비가 자주 와서 배추가 좋지 않습니다. ❸ 배춧값은 지난해보다 두 배나 올랐고, 4인 가족의 김장 비용은 작년보다 30% 정도 올랐다고 합니다. ❹ 겨울이 되면 대부분의 가정에서 김장을 합니다. 하지만 올해는 비용이 많이 들기 때문에 김장을 하지 않고 사 먹겠다는 사람들이 많습니다.

어휘와 표현

가정	家庭	머리에 남다	記憶に残る	알리다	知らせる
광고	広告	배	倍	오르다	上がる
국수	麺類の総称	배춧값	白菜の価格	인상	印象
귀	耳	비용	費用	채솟값	野菜の価格
김장	キムジャン	상품	商品	할인 매장	ディスカウントショップ
늘다	増える	소리	音	후루룩 후루룩	ずるずる
대형	大型	아삭 아삭	さくさく		

※김장：キムジャン。越冬用のキムチの漬け込み。

商品広告 7

1 普通耳で聞いたほうが目で見るよりもっと長く記憶に残ります。2 だから今まで広告では音楽をたくさん利用して来ました。最近は音もたくさん利用します。3 食べ物の広告の中には食べている音を利用して商品を知らせる広告が多いです。4 キムチを食べる音「さくさく」や麺を食べる音「ずるずる」はその商品をもっと印象に残るようにしてくれます。

キムジャンの季節 8

1 最近大型ディスカウントショップにはキムジャンをしようと白菜と大根を求める主婦が増えています。2 しかし、野菜の値段が大幅に上がって心配です。その上に雨がたくさん降って白菜(の出来)がよくありません。3 白菜の値段は去年より2倍も上がり、4人家族のキムジャンの費用は去年より30%程度上がったと言います。4 冬になるとほとんどの家庭でキムジャンをします。しかし、今年は費用が高くかかるのでキムジャンをしないで買って食べるという人が多いです。

3) 늘다：①(長さ・広さ・容積などが)増える、増す、伸びる、②(量・数が)増える、伸びる、増加する、③(才能・能力などが)伸びる、上達する、④(生活が)豊かになる、向上する、⑤(期間が)延びる、長くなる

・길이가 늘다. 長さが伸びる。　면적이 늘다. 面積が増える。
부피가 늘다. 体積が増える。　빚이 늘다. 借金が増える。
말이 늘다. 言葉が上達する。　실력이 늘다. 実力が伸びる。
살림이 늘다. 暮らしがよくなる。　기간이 늘다. 期間が延びる。
영업시간이 늘다. 営業時間が長くなる。

9 도시 집중

146

1 대부분의 나라에서 많은 사람들이 도시에서 살고 있다. 그러나 대도시에는 여러 가지 문제들이 있다. **2** 우선 좁은 공간에 많은 사람들이 모여 살기 때문에 공기가 나쁘고 시끄럽다. **3** 또 교통이 복잡해서 위험하기도 하다. 물가도 비싸서 생활비가 지방보다 훨씬 많이 든다[4]. **4** 그런데도 매년 많은 젊은 사람들이 일자리를 구하거나 대학에 다니기 위해서 도시로 모여든다.

10 이어폰

147

1 이어폰을 끼고 큰 소리로 음악을 들으면서 활동하는 사람들이 많다. **2** 그런데 이런 습관은 귀에 부담을 주고 집중력도 점차 떨어뜨리게 된다. 또 이어폰을 낀 채 길을 걷는 사람들도 많다. **3** 이어폰을 끼고 걸으면 주변 소리를 잘 듣지 못하게 되어서 마주 오는 사람이나 자전거와 부딪치는 사고가 날 수도 있다. **4** 일에 집중할 수 있도록, 사고가 나지 않도록 이어폰은 때와 장소를 가려서 사용하는 것이 좋다.

어휘와 표현

가리다	選ぶ、わきまえる
공간	空間
공기	空気
구하다	求める、探す
끼다	差し込む、はめる
대도시	大都会、大都市
떨어뜨리다	落とす
모여들다	集まってくる
모이다	集まる
물가	物価
부딪치다	ぶつかる
사고가 나다	事故が起きる
생활비	生活費
시끄럽다	うるさい
위험하다	危ない
이어폰	イヤホン
일자리	働き口
주변	周辺
지방	地方
집중력	集中力
집중하다	集中する
활동하다	活動する
훨씬	ずっと、はるかに

都市集中 9

1 ほとんどの国で多くの人が都市に住んでいる。しかし、大都市にはさまざまな問題がある。2 まず狭い空間に多くの人が集まって暮らすので空気が悪くうるさい。3 また交通が混雑して危険も多い。物価も高いので生活費が地方よりはるかに多くかかる。4 それでも毎年多くの若者が働き口を求めて、または大学に通うために都市に集まって来る。

イヤホン 10

1 イヤホンをして大きな音で音楽を聞きながら活動する人が多い。2 ところがこのような習慣は耳に負担を与え、集中力も次第に落とすようになる。またイヤホンをしたまま道を歩く人も多い。3 イヤホンをして歩くと周りの音がうまく聞き取れなくなって前から来る人や自転車とぶつかる事故が起こる可能性もある。4 仕事に集中できるように、事故が起こらないようにイヤホンは時と場所をわきまえて使うほうがよい。

4) 들다：①(範囲・基準に)入る、②(色に)染まる、④(費用などが)かかる、⑤気に入る、⑥加入する、⑦(病気に)かかる、⑧(年を)取る、⑨(味が)つく、⑩(気が)する、⑪(手に)持つ、⑫上げる、挙げる

・상위권에 들다.	上位圏に入る。	파란 물이 들다.	青い色に染まる。
돈이 들다.	お金がかかる。	마음에 들다.	気に入る。
보험에 들다.	保険に入る。	감기에 들다.	風邪を引く。
병이 들다.	病気になる。	나이가 들다.	年を取る。
맛이 들다.	味が付く。	예감이 들다.	予感がする。
가방을 들다.	カバンを持つ。	손을 들다.	手を上げる。
예를 들다.	例を挙げる。		

11 동물들에게 먹이를 148

1 우리 동네 뒷산에는 동물들이 많이 살고 있다. 그런데 겨울에는 산에 동물들이 먹을 것이 거의 없다. **2** 그래서 겨울이 되면 동네 사람들과 같이 산에 가서 먹을 것을 놓고 온다. **3** 며칠 후에 다시 가 보면 우리가 놓고 온 것이 하나도 없다. 토끼나 산새들이 다 먹은 것이다. **4** 추운 겨울에 먹을 것을 가지고 산에 올라가는 것은 힘들지만 우리는 매년 이 일에 보람을 느낀다.

12 화분 관리 149

1 새삼 설명할 필요도 없겠지만 꽃이나 나무가 오래 살려면 물과 공기와 햇빛이 중요하다. **2** 물이 빨리 없어지는 것을 막으려면 화분을 한 곳에 모아 놓는 것이 좋다. **3** 물에 젖은[5)] 수건을 화분 아래에 놓는 것도 좋은 방법이다. 또 집안에서 공기가 잘 통할 수 있게 방문을 열어 놓으면 좋다. **4** 여행을 오래 할 때는 햇[6)]빛이 잘 들어오지 않는 곳에 화분을 놓아 두는 것이 좋다.

어휘와 표현

공기	空気	모으다	集める	젖다	濡れる
나무	木	물	水	중요하다	重要だ
동네	村、町、村内	방문	部屋のドア	토끼	うさぎ
동물	動物	보람	やりがい	통하다	通じる、流れる
뒷산	裏山	산새	山鳥	필요	必要
막다	防ぐ	새삼	今更、改めて	햇빛	日光、日差し
며칠 후	数日後	설명하다	説明する	화분	植木鉢

動物たちにエサを 11

1 私の村の裏山には動物がたくさん住んでいる。ところが冬は山に動物が食べるものがほとんどない。2 それで冬になると村の人たちと一緒に山に行って食べ物を置いて来る。3 数日後にまた行ってみると私たちが置いて来たものが一つもない。うさぎや山鳥が全部食べたのだ。4 寒い冬に食べ物を持って山に登るのは大変だが、私たちは毎年この仕事にやりがいを感じている。

植木鉢の管理 12

1 今更説明する必要もないと思うが、花や木が長く生きるには水と空気と日光が重要だ。2 水が早くなくなることを防ぐには植木鉢を1か所に集めて置いたほうがよい。3 水に濡れたタオルを植木鉢の下に置くのもよい方法だ。また家の中で空気がよく通るように部屋のドアを開けておくとよい。4 長く旅行をする時は日差しがあまり差し込まないところに植木鉢を置いておいたほうがよい。

5) 젖다：①(水などに)ぬれる、湿る、②(感情に)浸る、③(何度も耳にして)慣れる
・옷이 젖다. 服がぬれる。　땀에 젖다. 汗にぬれる。　비에 젖다. 雨にぬれる。
슬픔에 젖다.　悲しみに浸る。　기쁨에 젖다.　喜びに浸る。
귀에 젖은 소리. 耳に慣れた音。　귀에 젖은 음악. 耳に慣れた音楽。

6)「햇＝해」は「햇+빛　日の光、햇+살　日差し」のように太陽(日)の意を表わす名詞であるが、接頭語として用いられると「初物の～、新～」の意を表わす。
・햇-+初声が平音の名詞：햇곡식 新穀、햇과일 初物の果物、햇감자 新ジャガ
・해-+初声が激音・濃音の名詞：해콩 初物の豆、해팥 初物の小豆

13 차 없는 거리

🔊 150

❶ 시청 앞 도로는 주말에 차가 다닐 수 없다. 복잡한 길을 걷기 편한 거리로 바꾸려고 시가 이곳을 차 없는 거리로 만들었다. ❷ 사람들은 주말마다 이곳에서 자기가 안 쓰는 물건이나 직접 만든 물건을 가지고 와서 판다. ❸ 악기를 연주하고 춤을 추는 젊은이들도 있다. 배가 고프면 길가 포장마차에서 김밥이나 국수를 사 먹을 수도 있다. ❹ 자유롭고 밝은 분위기 때문에 주말에는 젊은 사람들이 이곳을 많이 찾고 있다.

14 모바일 결제

🔊 151

❶ 신용 카드는 우리의 일상생활에서 아주 편리하게 쓰인다. 현금이 없어도 물건을 살 수 있고, 은행에서 돈을 빌릴 수도 있다. ❷ 또한 여행을 갈 때 두둑한 지갑을 가지고 가는 불편함 대신 얇은 카드 한 장을 지갑에 넣어 두면 그만이다[7)]. ❸ 그러나 이런 신용카드를 들고 다니는 것도 번거롭다는 생각에서 나온 것이 모바일 결제다. ❹ 가게나 식당에서 돈을 낼 때 스마트폰을 내밀면 결제가 된다.

어휘와 표현

결제	決済	모바일	モバイル	악기	楽器
국수	麺類の総称	바꾸다	変える	얇다	薄い
그만이다	十分だ	번거롭다	煩わしい	연주	演奏
길가	道沿い、道端	분위기	雰囲気	일상생활	日常生活
김밥	海苔巻き	빌리다	借りる	지갑	財布
내밀다	差し出す	시청	市庁、市役所	포장마차	屋台
두둑하다	分厚い	신용 카드	クレジットカード	현금	現金

車のない通り(ホコ天) 13

1 市庁の前の道路は週末に車が通行できない。混雑した道を歩きやすい通りに変えようと市がここを車のない通りにした。**2** 人々は週末ごとにここで自分が使わないものや直接作ったものを持ってきて売る。**3** 楽器を演奏してダンスをする若者たちもいる。お腹がすけば通り沿いの屋台でのり巻きやそばを買って食べることもできる。**4** 自由で明るい雰囲気のため週末には若い人たちがここを多く訪れている。

モバイル決済 14

1 クレジットカードは私たちの日常生活でとても便利に使われる。現金がなくてもものを買うことができるし、銀行からお金を借りることもできる。**2** また旅行に行く時、分厚い財布を持って行く不便さの代わりに薄いカード1枚を財布に入れておけば十分だ。**3** しかし、このようなクレジットカードを持ち歩くのも煩わしいという考え方から出てきたのがモバイル決済だ。**4** 店や食堂でお金を払うとき、スマートホンを差し出すと決済ができる。

7) 그만이다：①終わりだ、おしまいだ、②最高だ、申し分ない、一番だ

・다음 달에 졸업하면 공부도 그만이다. 来月学校を卒業したら勉強も終わりだ。
인생이란 한 번 가면 그만이다.　人生は一度終わったらそれっきりだ。
널 만나는 것도 이것으로 그만이다. 君に会うのもこれで終わりだ。
이 죽은 영양식으로는 그만이다.　このお粥は栄養食としては最高だ。
이 길은 산책하기에는 그만이다.　この道は散歩するには申し分ない。
음악을 감상하기에는 그만이다.　音楽を鑑賞するのには最高だ。

第15章

안내

案内

1 농산물 판매

152

❶ 주민 여러분, 안녕하십니까? 관리 사무소에서 알려 드립니다. ❷ 오늘 오전 10시부터 오후 5시까지 아파트 건너편 광장에서 농산물 판매 시장이 열립니다. ❸ 화학 비료와 농약을 사용하지 않고 재배한 채소와 과일을 농민 여러분이 직접 판다고 합니다. 많은 이용 바랍니다. ❹ 오늘 열리는 임시 시장 때문에 아파트 앞 도로가 복잡해질 것 같습니다. 운전하시는 분들은 주의하시기 바랍니다.

2 콘서트에 초대

153

❶ 1월 30일 일요일, '음악 여행' 특집 콘서트로 시청자 여러분을 초대합니다. ❷ 한국 최고의 가수들이 출연하는 이번 콘서트에 가고 싶은 분들은 홈페이지의 시청자 선물 코너에 이름과 연락처를 남겨 주십시오. ❸ 그 중 100분께 콘서트 표 두 장씩을 드립니다. 신청은 이번 주 일요일까지입니다. ❹ 시청자 여러분의 많은 응모를 바랍니다.

어휘와 표현

건너편	向こう側	신청	申し込み	재배하다	栽培する
관리 사무소	管理事務所	알리다	知らせる	채소	野菜
광장	広場	연락처	連絡先	최고	最高
남기다	残す	열리다	開かれる	출연하다	出演する
농산물	農産物	운전하다	運転する	특집 콘서트	特集コンサート
농약	農薬	응모	応募	홈페이지	ホームページ
시청자	視聴者	임시	臨時	화학 비료	化学肥料

農産物販売 1

1 住民の皆様、こんにちは。管理事務所からお知らせいたします。2 今日午前10時から午後5時までマンションの向かい側の広場で農産物を販売する市場が開かれます。3 化学肥料と農薬を使わないで栽培した野菜と果物を農家の皆さんが直接販売するそうです。どうぞご利用ください。4 今日開かれる臨時市場のことでマンション前の道路が混雑しそうです。運転される方はご注意ください。

コンサートに招待 2

1 1月30日日曜日の「音楽旅行」の特集コンサートへ視聴者の皆さまをご招待します。2 韓国最高の歌手たちが出演する今回のコンサートに行きたい方はホームページの視聴者掲示板にお名前と連絡先を書き込んでください。3 その内100名の方にコンサートのチケットを2枚ずつ差し上げます。申し込みは今週の日曜日までです。4 視聴者の皆さまのたくさんのご応募をお待ちしています。

■ YouTubeへのリンク先
➔「농산물 시장・콘서트・여름 학교・안내 방송」
「農産物市場・コンサート・サマースクール・案内放送」
＊YouTubeのリンク先が変更されている場合は上記のキーワードで検索してください。

■ **主要な文法事項**は、巻末に付録 (p.214) としてまとめて収録しています。
巻末の資料1と2の主要助詞、語尾・慣用表現リストを参考にしてください。

3 휴식 시간

154

❶ 1부 공연이 끝났습니다. 지금부터 15분간 휴식 시간을 갖겠습니다. ❷ 공연장 밖으로 나가실 분들께서는 입장권을 꼭 가지고 나가시기 바랍니다. ❸ 들어오실 때 입장권이 없으면 재입장이 불가능합니다. 휴식 시간에도 공연장 안에서는 음료나 음식은 드실 수가 없습니다. ❹ 2부는 정확히 15분 후에 시작하오니[1] 늦지 않게 자리로 돌아와 주시기 바랍니다.

4 알뜰 시장

155

❶ 관리 사무소에서 알려 드립니다. 내일 오전 9시부터 오후 4시까지 주민 여러분들에 의한 알뜰 시장[2]이 열릴 예정입니다. ❷ 옷이나 가전제품 등 쓰지 않는 물건들을 가지고 나오시면 사고파실 수 있습니다. ❸ 장소는 관리 사무소 앞 주차장입니다. 안 쓰는 물건으로 필요한 물건을 마련하실 수 있는 좋은 기회입니다. ❹ 주민 여러분의 많은 참여를 부탁드립니다.

어휘와 표현

가전제품	家電製品	사고팔다	売り買いする	주민	住民
공연	公演	사무소	事務所	주차장	駐車場
공연장	公演会場	알뜰 시장	フリーマーケット	참여	参加
관리	管理	입장권	入場券	휴식	休息、休憩
마련하다	手に入れる	재입장	再入場		
불가능	不可能	정확히	正確に		

休憩時間 3

1 1部の公演が終わりました。今から15分間の休憩時間になります。2 公演会場の外に出られる方は入場券を必ずお持ちください。3 入って来られる際に入場券がなければ再入場が出来ません。休憩時間にも公演会場の中では飲み物や食べ物は召し上がることができません。4 2部はちょうど15分後に始まりますので遅れませんようにお席にお戻りください。

フリーマーケット 4

1 管理事務所からお知らせいたします。明日午前9時から午後4時までに住民の皆さまによるフリーマーケットが開かれる予定です。2 衣類や家電製品など、使わないものをお持ちいただくと販売ができます。3 場所は管理事務所前の駐車場です。使わなくなったもので必要なものを手に入れることができるよい機会です。4 住民の皆さまの多数のご参加をお待ちしています。

1)「시작하오니」の「−오−」は丁寧さを加える古風な感じの語尾。母音語幹・ㄹ語幹には「−오−」、子音語幹には「−으오−」の形で結合する。
・열 시에 출발하**오**니. 10時に出発いたしますので。
미아 보호실에서 기다리**오**니. 迷子保護室でお待ちしておりますので。
오늘은 담당자가 없**으오**니. 今日は担当の者がおりませんので。

2) フリーマーケットに該当する韓国語は「벼룩시장/벼룩장터」、「알뜰시장/알뜰장터」が多く使われる。その他に「나눔장터、희망장터、녹색장터、재활용장터」などが使われることもある。

5 싸게 드립니다 156

❶ 손님 여러분, 지하 1층 과일 코너에서 알려 드립니다. ❷ 지금부터 포도를 아주 특별한 할인 가격에 드리겠습니다. ❸ 한 상자에 만 원하는 달고 맛있는 포도를 지금부터 반값인 5천 원, 5천 원에 드립니다. ❹ 단, 포도는 한 사람 앞에 한 상자만 사실 수 있습니다. 많은 이용 바랍니다. 감사합니다.

6 여름 학교 157

❶ 구청에서는 우리 구[3)]에 사는 초등학교 학생을 대상으로 여름 학교를 개설합니다. ❷ 여름 학교에서는 외국어와 태권도, 바둑, 수영 등의 과목을 배울 수 있습니다. ❸ 수강하고자 하는 어린이는 구 문화 센터에서 신청해 주시기 바랍니다. ❹ 수강 기간은 7월 25일부터 8월 3일까지이며, 토요일과 일요일에는 수업이 없습니다. ❺ 수강료는 한 과목에 3만 원이고, 수영의 경우에는 수영장 입장료를 더 내셔야 합니다.

어휘와 표현

개설하다	開設する	바둑	囲碁	이용	利用
과목	科目	반값	半値	입장료	入場料
구	区(行政単位)	상자	箱	특별하다	特別だ
구청	区庁、区役所	수강료	受講料	포도	ブドウ
단	ただし	수강하다	受講する	할인 가격	割引価格
달다	甘い	신청하다	申し込む		
대상	対象	여름학교	サマースクール		

安くご提供します　5

① お客の皆さま、地下1階の果物コーナーからお知らせいたします。② 今からブドウを大変特別な割引価格でご提供いたします。③ 1箱1万ウォンの甘くて美味しいブドウを今から半額の5千ウォン、5千ウォンでご提供いたします。④ ただし、ブドウは一人当たり1箱だけ買うことができます。たくさんのご利用をお待ちしております。ありがとうございました。

サマースクール　6

① 区役所では我が区に住んでいる小学校の児童を対象にサマースクールを開設します。② サマースクールでは外国語、テコンドー、囲碁、水泳などの科目を学ぶことができます。③ 受講を希望する児童は区の文化センターで申し込んでください。④ 受講期間は7月25日から8月3日までで、土曜日と日曜日は授業がありません。⑤ 受講料は1科目3万ウォンで、水泳の場合はプールの入場料が追加されます。

3) 韓国の行政区画

- **道・特別市・広域市・特別自治市・特別自治道 /도・특별시・광역시・특별자치시・특별자치도**：日本の都道府県に該当する行政区画で、1特別市・6広域市・1特別自治市・8道・1特別自治道で区分されている。
- **市・郡・区 /시・군・구**：道の下には市・郡が、特別市・広域市の下には区・郡が置かれている。これらが韓国の基礎自治体である。
- **邑・面・洞 /읍・면・동**：市・郡・区の下位行政区画として市・区の下には洞が、郡の下には邑・面がある。

7 청소 안내

158

❶ 관리실에서 알려 드립니다. 이제까지 여러 번 알려 드린 대로 내일 오전 열 시부터 오후 여섯 시까지 기숙사 대[4]청소가 실시될 예정입니다. ❷ 바닥과 책상 위에 있는 짐들을 모두 치워 주시고 중요한 물건은 본인이 따로 보관하시기 바랍니다. ❸ 청소 작업을 하는 동안에는 기숙사 출입은 금지됩니다. ❹ 내일은 오전 아홉 시 반까지 퇴실하셔야 합니다. 학생 여러분의 적극적인 협조를 부탁 드립니다.

8 강연회 안내

159

❶ 다음은 교내에서 열리는 강연회 안내입니다. ❷ 다음 주 목요일 오후 2시, 본교 301계단강의실에서 한국기업 면접 담당자 김수진 이사의 초청 강연이 열립니다. ❸ 이번 강연회는 '성공적인 면접'이라는 주제로 실제 면접에 도움이 되는 내용들이 소개될 예정입니다. ❹ 선착순[5] 300명만 들을 수 있으니 관심 있는 학생은 학교 홈페이지를 통해 서둘러 신청하시기 바랍니다.

어휘와 표현

계단강의실	階段教室	바닥	床	적극적	積極的
관리실	管理室	보관하다	保管する	주제	主題
교내	校内、学内	서두르다	急ぐ	짐	荷物
금지되다	禁止される	선착순	先着順	초청 강연	招待講演
기업	企業	신청하다	申し込む	출입	出入り
대청소	大掃除	실시하다	実施する	치우다	どける、片づける
따로	別途に	실제	実際	퇴실하다	退室する
면접 담당자	面接担当者	이사	理事	협조	協力、協調

清掃案内 7

❶ 管理室からお知らせいたします。これまで何度もお知らせしたとおり明日の午前10時から午後6時まで寄宿舎の大掃除が実施される予定です。❷ 床と机の上にある荷物はすべて片づけていただき、大事なものはご本人が別途保管してください。❸ 清掃作業をする間は寄宿舎への出入りは禁止されます。❹ 明日は午前9時半までに退室しなければなりません。学生の皆さんの積極的なご協力をお願いします。

講演会の案内 8

❶ 次は校内で開かれる講演会のご案内です。❷ 来週の木曜日の午後2時、本校301階段教室で韓国企業の面接担当のキムスジン理事の招待講演が開かれます。❸ 今回の講演会は「成功を導く面接」というテーマで実際の面接に役立つ内容が紹介される予定です。❹ 先着順300名までが聞くことができるので関心のある学生は学校のホームページを通じて早めに申し込んでください。

4) 대－：名詞に付いて、「大」の意を加える接頭語。
・대강당 大講堂、대사전 大辞典、대선배 大先輩、대성공 大成功、대청소 大掃除、대가족 大家族
・소－：名詞に付いて、「小」の意を加える接頭語。
소강당 小講堂、소규모 小規模、소극장 小劇場、소도시 小都市、소문자 小文字、소사전 小辞典、소시민 小市民、소책자 小冊子

5) －순：順番、順序の意を添える接尾語。
・번호순 番号順、선착순 先着順、연대순 年代順、이름순 名前順

9 도서관 휴관 안내 160

1 지금까지 저희 도서관을 이용해 주신 여러분께 감사의 말씀을 드립니다. **2** 저희 도서관은 다음 주부터 건물을 수리하기 위해 두 달 동안 문을 닫습니다. **3** 공사 후에는 3층에 컴퓨터실[6]이 새로 문을 엽니다. 컴퓨터를 지금보다 세 배로 늘려 편하게 자료를 검색할 수 있게 됩니다. **4** 4층 휴게실에서는 토요일마다 도큐멘터리 영화를 상영할 예정입니다. 공사 기간 동안 불편을 드려서 죄송합니다.

10 영업 재개 안내 161

1 그동안 저희 동대문 식당을 잊지 않고 기다려 주신 손님 여러분께 감사 드립니다. **2** 9월 1일에 다시 문을 열게 될 저희 식당은 전보다 넓은 곳에서 더 많은 메뉴로 여러분을 만나려고 합니다. **3** 가족끼리, 동료 분들끼리 편하게 이용하실 수 있도록 인원 수에 따라 5인용[7]에서 20인용까지의 방도 마련했습니다. **4** 이전 개업 기념으로 9월 한 달 동안 음식 값을 10% 할인해 드립니다. 많은 이용을 부탁드립니다.

어휘와 표현

개업	開業	마련하다	用意する	이용	利用
검색하다	検索する	문을 닫다	閉める	이전	移転
공사	工事	불편	不便	인원 수	人数
기간	期間	상영하다	上映する	잊다	忘れる
기념	記念	새로	新たに、新しく	자료	資料
늘리다	増やす	수리하다	修理する	컴퓨터실	パソコン室
동료	同僚	예정	予定	할인	割引

図書館の休館案内 9

1 これまで当図書館を利用してくださった皆さまに感謝申し上げます。2 当図書館は来週から建物の修理のために2か月間休館します。3 工事の後は3階にパソコン室が新たに開設されます。パソコンを現在より3倍に増やして簡単に資料が検索できるようになります。4 4階の休憩室では土曜日ごとにドキュメンタリー映画を上映する予定です。工事期間中ご迷惑をおかけして申し訳ありません。

営業の再開案内 10

1 これまで私どもの東大門食堂を忘れないでお待ちくださったお客さまに感謝いたします。2 9月1日に営業を再開する当食堂は以前より広いところでより多くのメニューで皆さんにお会いしようと思います。3 家族同士、同僚同士で快適に利用できるように人数によって5人用から20人用までの部屋もご用意しました。4 移転開業の記念として9月いっぱい、料理の代金を10% 割引いたします。多くのご利用をお待ちしております。

6) −실(室): 名詞に付いて、部屋、部署の意を加える接尾語。
・강의실 講義室、 교장실 校長室、 냉동실 冷凍室、 미용실 美容室、
사무실 事務室、 실험실 実験室、 연구실 研究室、 열람실 閲覧室、
입원실 入院室、 전시실 展示室、 지하실 地下室、 진료실 診療室、
탈의실 脱衣室、 회의실 会議室、 공보실 広報室、 기획실 企画室

7) −용(用): 名詞に付いて、使用の対象・目的などの意を表わす接尾語。
・공업용 工業用、 남성용 男性用、 농업용 農業用、 선전용 宣伝用、
영업용 営業用、 자가용 自家用、 휴대용 携帯用、 가정용 家庭用

第16章
사건, 사고
事件・事故

1 초보 운전자 162

1 운전을 시작한 지 1년 정도 지난 사람이 초보 운전자보다 교통사고를 많이 낸다고 합니다. **2** 운전을 배운 지 얼마 안 됐을 때에는 운전에 익숙하지 않아서 운전에만 온통 신경을 쓰게 됩니다. **3** 그러나 운전에 익숙해져서 자신감이 생기면, 운전할 때 다른 것에도 신경을 쓰기 때문에 사고를 일으키게 됩니다. **4** 운전을 시작한 지 1~2년이 지나 조금 익숙해졌다고 해서 방심해서는 안 됩니다.

2 운전 중의 전화 사용 163

1 운전 중 휴대 전화 사용은 교통사고를 일으킬 수 있으므로 음주 운전이나 졸음 운전만큼 대단히 위험합니다. **2** 하지만 경찰의 단속에도 불구하고 휴대 전화를 사용하는 운전자가 여전히 줄고 있지 않는 것 같습니다. **3** 나와 다른 사람의 안전을 위하여 운전 중에 휴대 전화를 사용하는 것은 절대로 피해야 합니다.

어휘와 표현

교통사고	交通事故
단속	取り締まり
방심하다	油断する
사용	使用
신경을 쓰다	神経を使う
안전	安全
얼마 안 되다	まもない
에도 불구하고	~にも関わらず
여전히	相変わらず
온통	すべて
위험하다	危険だ、危ない
음주 운전	飲酒運転
익숙하다	慣れている
일으키다	起こす
자신감이 생기다	自信が付く
절대로	絶対に
졸음 운전	居眠り運転
줄다	減る
초보 운전자	初心運転者
피하다	避ける

初心運転者 1

1 運転を始めて一年ぐらい経った人が初心運転者より交通事故を起こすことが多いと言います。2 運転を習ってから間もない頃は、運転に慣れていないので運転だけにすべての神経を使うことになります。3 しかし、運転に慣れてきて自信がつくと、運転する時に他のことにも気を使うので事故を起こすようになります。4 運転を始めてから1～2年が経ち、少し慣れてきたからと言って油断してはいけません。

運転中の電話使用 2

1 運転中の携帯電話の使用は交通事故を起こしかねないので飲酒運転や居眠り運転と同じように非常に危ないです。2 しかし、警察の取り締まりにもかかわらず携帯電話を使うドライバーが相変らず減っていないようです。3 自分と他人の安全のために運転中に携帯電話を使うことは絶対に避けなければなりません。

■ YouTubeへのリンク先
➜「초보 운전・추돌 사고・산악 사고・눈길 사고・각종 사고」/
「初心者運転・追突事故・山の事故・雪道の事故・各種事故」
＊YouTubeのリンク先が変更されている場合は上記のキーワードで検索してください。

■ **主要な文法事項**は、巻末に付録 (p.214) としてまとめて収録しています。
巻末の資料1と2の主要助詞、語尾・慣用表現リストを参考にしてください。

3 밀려 넘어지는 사고 164

1 지난 12일 서울방송국 앞에서 인기 가수의 사인을 받으려던 한 여자 중학생이 사람들에게 밀려 넘어져 부상을 입는 사고가 일어났습니다. **2** 경비원들이 가수를 구경하기 위해 모인 사람들에게 질서를 지키도록 안내했지만 가수가 녹화를 마치고 나오는 순간 사람들이 갑자기 환성을 지르며 몰려드는 바람에 사고가 났다[1]고 합니다. **3** 사고로 다친 여자 중학생은 가까운 병원으로 옮겨져 치료를 받고 있습니다.

4 추돌 사고 165

1 오늘 새벽에 고속버스 터미널 앞 사거리에서 화물차가 버스를 추돌하는 사고가 발생했습니다. **2** 이 사고로 버스 운전자 김모 씨와 버스 승객 네 명이 부상을 입고 근처 병원으로 옮겨져 치료를 받고 있습니다. **3** 경찰 조사에 따르면 화물차 운전자 박모 씨가 신호 대기 중이던 버스를 미처 보지 못하고 사고를 낸 것으로 드러났습니다. **4** 이 사고로 고속버스 터미널 근처는 출근 시간까지 심한 교통 정체를 보였습니다.

어휘와 표현

- 경비원　警備員
- 경찰 조사　警察調べ
- 고속버스　高速バス
- 교통 정체　交通渋滞
- 넘어지다　転ぶ、倒れる
- 녹화　録画
- 드러나다　明らかになる
- 몰려들다　押し寄せる
- 미처　前もって
- 밀리다　押される
- 발생하다　発生する
- 부상을 입다　怪我をする
- 사거리　交差点
- 사인을 받다　サインをもらう
- 순간　瞬間
- 승객　乗客
- 신호 대기　信号待ち
- 옮겨지다　運ばれる
- 질서를 지키다　秩序を守る
- 추돌하다　追突する
- 치료를 받다　治療を受ける
- 터미널　ターミナル
- 화물차　貨物車
- 환성을 지르다　歓声を上げる

転倒事故

3

1 12日、ソウル放送局の前で人気歌手のサインをもらおうとした一人の女子中学生が人々に押し倒されて怪我をする事故が起きました。**2** 警備員たちが歌手を見るために集まった人たちに秩序を守るように案内しましたが、歌手が録画を終えて出てきた瞬間、人々が急に歓声を上げながら押し寄せたせいで事故が起きたと言います。**3** 事故で怪我をした女子中学生は近くの病院に運ばれて治療を受けています。

追突事故

4

1 今日の明け方、高速バスターミナルの前の交差点で貨物トラックがバスに追突する事故が発生しました。**2** この事故でバス運転手の金某さんとバスの乗客4人が怪我をして近くの病院に運ばれて治療を受けています。**3** 警察の調査によると貨物トラックの運転手朴某さんが信号待ちしていたバスに気付かず事故を起こしたことがわかりました。**4** この事故で高速バスターミナル付近は出勤時間まで激しい交通停滞が続きました。

1) 나다：①(芽、ひげなどが)生える、出る、できる、②起こる、発生する、③載る、④知られる、⑤(年齢に) なる、⑧(期間を)過ごす、⑨空く

- 풀이 나다. 草が生える。
- 소리가 나다. 音が出る。
- 사고가 나다. 事故が起こる。
- 신문에 나다. 新聞に載る。
- 이름이 나다. 名前が世に知られる。
- 여름을 나다. 夏を過ごす。
- 길이 나다. 道ができる。
- 먼지가 나다. ほこりがたつ。
- 냄새가 나다. においがする。
- 소문이 나다. うわさが立つ。
- 한 살 난 딸. 1歳になった娘。
- 시간이 나다. 時間が空く。

5 추락 사고

166

❶ 지난 23일 오전 한 시쯤 서울 성동구에서 빗길을 달리던 자동차가 강으로 떨어지는 사고가 발생했다. ❷ 이 사고로 자동차에 타고 있던 이모(17) 군과 이 군의 친구 2명이 모두 강물에 빠져 목숨을 잃었다. ❸ 경찰 조사 결과, 이 군은 운전면허증 없이 친구들과 함께 아버지의 자동차를 몰래 타고 나갔다가 이 같은 사고를 당한[2)] 것으로 밝혀졌다.

6 정전 사고

167

❶ 어제 오전 10시쯤 서울 여의도의 한 빌딩에서 정전 사고가 일어났다. ❷ 정전으로 이 빌딩에 설치되어 있는 승강기 20대가 멈추었고, 이로 인해 승강기 안에 있던 승객 20여 명이 갇히고 말았다. ❸ 승객들은 사고 발생 15분 만에 구조되었으나 빌딩에서 일하는 많은 사람들이 불편을 겪었다. ❹ 전기는 30분 후에 다시 들어왔다. 빌딩 관리자는 빌딩 전기 관리 시스템에 문제가 생겨 정전이 발생했다고 밝혔다.

어휘와 표현

갇히다	閉じ込められる	멈추다	止まる	설치되다	設置される
결과	結果	면허증	免許証	승강기	エレベーター
관리자	管理者	목숨을 잃다	命を失う	시스템	システム
구조되다	救助される	몰래	こっそり、無断で	여의도	㊞汝矣島
달리다	走る	불편을 겪다	不便を被る	정전	停電
떨어지다	落ちる、転落する	빗길	雨の道路	추락	墜落、転落
로 인해/인하여	～によって	빠지다	溺れる	한 빌딩	とあるビルディング
만	～ぶり、～経った後	사고를 당하다	事故に遭う		

転落事故 5

1 23日午前1時頃ソウル城東区で雨の道路を走った自動車が川に転落する事故が発生した。2 この事故で車に乗っていた李某(17)君と李君の友だち2人がみんな川に溺れて亡くなった。3 警察調査の結果、李君は運転免許証無しに友だちと一緒に父親の自動車に無断で乗って出かけて、このような事故に遭ったことがわかった。

停電事故 6

1 昨日午前10時頃、ソウル・ヨイド（汝矣島）のビルで停電事故が起きた。2 停電によってこのビルに設置されているエレベーター20台が止まり、これによりエレベーターの中にいた乗客20人余りが閉じこめられてしまった。3 乗客たちは事故発生15分後に救助されたが、ビルで働く多くの人が不便をこうむった。4 電気は30分後に復旧した。ビルの管理者はビルの電気管理システムに問題が起きて停電が発生したと話した。

2) 당하다：①(事故、被害に)遭う、こうむる、やられる、②(時期・状態に直面する、当たる、③かなう、打ち勝つ、④やり抜く、耐える
・사고를 당하다. 事故に遭う。　사기를 당하다. 詐欺にあう。
꼼짝없이 당하다. なすすべもなくやられる。
퇴학을 당하다. 退学させられる。　위기를 당하다. 危機に直面する。
그를 당할 사람이 없다. 彼に勝てる人はいない。
그의 고집을 못 당한다. 彼の頑固さには勝てない。
훈련을 당해 내다. 訓練をやり抜く。　추위를 당해 내다. 寒さに耐え抜く。

7 선로에 추락

168

1 어제 저녁 9시쯤 부산 지하철 2호선에서 40대 여성 김 모 씨가 지하철 선로로 떨어지는 사고가 발생했다. **2** 목격자에 따르면 김 씨는 갑자기 의식을 잃고 쓰러지면서 선로로 떨어졌다고 한다. **3** 다행히 열차가 들어오기 전에 승강장에 서 있던 20대 남학생이 선로로 뛰어내려 김 씨를 구해 냈다. **4** 김 씨는 부상을 입고 병원으로 옮겨졌는데 병원 관계자에 따르면 부상 정도는 심하지 않다고 한다.

8 강에서 사고

169

1 지난 25일 한강에서 낚시를 하던 신경수 군(18세)은 강물에 떠내려가는 사람을 발견하고 물속에 뛰어들었다. **2** 신 군은 10여 미터를 헤엄쳐 가서 그 사람을 잡았으나 힘이 빠져[3)] 물 밖으로 나오지 못했다. **3** 떠내려가던 그 사람은 근처 식당 주인이 던진 밧줄을 잡고 구조되었으나 신 군은 하류에서 숨진 채 발견되었다. **4** 사고가 난 지점은 최근 비가 많이 내려서 평소보다 물살이 세고[4)] 물이 불어난 상태였다.

어휘와 표현

구조되다	救助される	목격자	目撃者	승강장	プラットホーム
구하다	救う	물살이 세다	流れが速い	쓰러지다	倒れる
낚시	釣り	물속	水の中	의식을 잃다	意識を失う
다행히	幸い	발견하다	発見する	잡다	つかむ
던지다	投げる	밧줄	ロープ	평소	普段
떠내려가다	流される	불어나다	増す、増える	하류	下流
뛰어내리다	飛び降りる	선로	線路	한강	(地)漢江
뛰어들다	飛び込む	숨지다	死ぬ、息が絶える	헤엄치다	泳ぐ
				힘이 빠지다	力が抜ける

線路に転落　7

1 昨日夕方9時頃、釜山地下鉄2号線で40代の女性金某さんが地下鉄の線路に落ちる事故が発生した。2 目撃者によると金さんは急に意識を失って倒れて線路に落ちたと言う。3 幸いに列車が入って来る前に、ホームにいた20代の男子学生が線路に飛び降りて金さんを助け出した。4 金さんは怪我をして病院に運ばれたが、病院関係者によると怪我の程度は重くないと言う。

川で事故　8

1 25日漢江で釣りをしていたシンキョンス君(18歳)は川に流されている人を見つけて川の中に飛び込んだ。2 シン君は10メートル余りを泳いで行ってその人をつかんだが、力がなくなって川の外に出ることができなかった。3 流されていた人は近くの食堂の主人が投げたロープをつかんで救助されたが、シン君は下流で死亡した状態で発見された。4 事故が起きた地点は最近雨が多く降って、普段より流れが速く、増水した状態だった。

....

3) 빠지다：①溺れる、ふける、落ちる、②陥る、③抜ける、取れる
・물에 빠지다.　水に溺れる。　공상에 빠지다.　空想にふける。
사랑에 빠지다.　愛に落ちる。　술에 빠지다.　酒に溺れる。
혼란에 빠지다.　混乱に陥る。　얼룩이 빠지다.　染みが落ちる。
이가 빠지다.　歯が抜ける。　김 빠진 맥주.　気の抜けたビール。

4) 세다：①強い、②数える、③(髪が)白くなる
・술이 세다. 酒が強い。바둑이 세다. 囲碁が強い。바람이 세다. 風が強い。
힘이 세다. 力が強い。돈을 세다. お金を数える。머리가 세다. 髪が白くなる。

9 절벽에서 추락

170

❶ 지난 28일 북한산을 등산하던 박모 씨(61)가 20m 절벽 아래로 떨어지는 사고가 발생했다. ❷ 박 씨는 신고를 받고 출동한 119 구조 헬기에 의해 병원으로 옮겨져 현재 치료를 받고 있는 중이다. ❸ 박 씨는 떨어질 때 절벽 나뭇가지에 옷이 걸린 덕분에 다행히 목숨을 건질 수 있었다. ❹ 구조 대원은 박 씨가 바위 위에서 기념사진을 찍고[5] 뒤돌아서는 순간 미끄러져 사고가 난 것이라며, 산에서는 항상 주의를 기울여야 한다고 말했다.

10 눈길 사고

171

❶ 지난 16일 김 모 씨(41)가족은 지리산으로 가던 중 차가 눈길에 미끄러져 계곡으로 떨어지는 사고를 당했다. ❷ 다행히 크게 다치지는 않았지만 그 날 기온은 영하 10도였고 사고 지역에서는 휴대전화 연결도 안 되었다. ❸ 언제 구조될지 모르는 상황에서 김 씨 가족은 도움을 부탁하러 가는 대신 차 안에서 서로 끌어안고 체온을 유지했다. ❹ 이런 지혜 덕분에 가족은 추위 속에 하룻밤을 견딜 수 있었고 다음날 아침 등산객에 의해 발견되어 무사히 구조될 수 있었다.

어휘와 표현

걸리다	ひっかかる	뒤돌아서다	後ろを向く	유지하다	維持する
견디다	耐える	목숨을 건지다	命拾いする	절벽	絶壁
계곡	渓谷、谷	무사히	無事に	주의를 기울이다	注意を払う
구조 헬기	救助ヘリ	미끄러지다	滑る	지역	地域
끌어안다	抱き合う	바위	岩	지혜	知恵
나뭇가지	木の枝	사고를 당하다	事故に遭う	체온	体温
다행히	幸い、運よく	신고를 받다	通報を受ける	출동하다	出動する
덕분에	おかげで	연결	連結、つながる	하룻밤	一晩

崖から転落 9

1 28日、北漢山を登っていた朴某さん(61)が20mの崖下に落ちる事故が発生した。2 朴さんは通報を受けて出動した119救助ヘリによって病院に運ばれ、現在治療を受けている。3 朴さんは落ちる時、崖の木の枝に服がひっかかったおかげで運よく命は助かることができた。4 救助隊員は、朴さんが岩の上で記念写真を撮ってから後ろを向いた瞬間滑って事故が起きたとし、山では常に注意をしけなければならないと話した。

雪道の事故 10

1 16日、金某さん(41)の家族は智異山へ向かう途中、車が雪道で滑って谷に落ちる事故に遭った。2 幸いに大きな怪我はなかったが、その日の気温は零下10度で事故地域では携帯電話もつながらなかった。3 いつ救助されるかわからない状況で金さんの家族は助けを求めに行く代わりに車の中でお互いに抱き合って体温を維持した。4 このような知恵のおかげで家族は寒さの中でひと晩を耐えることができて、翌朝登山客によって発見されて無事に救助されることができた。

5) 찍다：①撮る、②押す、③(粉や液体を)つける、④突き刺す、⑤印刷する、⑥(点などを)打つ、つける、⑦投票する、⑧(山勘で)答える

・사진을 찍다. 写真を撮る。 영화를 찍다. 映画を撮る。
도장을 찍다. 判子を押す。 소금에 찍어 먹다. 塩につけて食べる。
포크로 찍다. フォークで刺す。 명함을 찍다. 名刺を刷る。
책을 찍다. 本を印刷する。 종지부를 찍다. 終止符を打つ。
찍을 사람이 없다. 票を入れたい人がいない。
정답을 찍다. 正答を山勘で選ぶ。
4번으로 찍었는데 정답은 3번이었다. 山勘で4番にしたが、正解は3番だった。

資料1　中級レベル主要助詞リスト

	助詞	意味	用例
1	같이	①例え　②時の強調	～のように
	얼음같이 찬 물로 몸을 씻었다.		氷のように冷たい水で体を洗った。
	그는 소같이 일만 하다.		彼は牛のように働いてばかりいる。
	매일같이 지각을 한다.		毎日のように遅刻をする。
2	나/이나	①例示　②選択　③強調	でも、か、や、も
	밥이나 먹으러 갑시다.		ご飯でも食べに行きましょう。
	버스나 지하철로 가면 된다.		バスか地下鉄で行けばいい。
	오늘 커피를 다섯 잔이나 마셨다.		今日コーヒーを5杯も飲んだ。
3	나마/이나마	不充分・譲歩	でも、ではあるが
	너나마 와 주어서 다행이다.		君でも来てくれてよかった。
	먼발치로나마 보게 되어 기뻤다.		遠くからでも見られてうれしかった。
	원시적이나마 도구를 쓰고 있었다.		原始的ではあるが、道具を使っていた。
4	는커녕/은커녕	否定内容強調	～どころか、～はおろか
	저축은커녕 생활비도 모자란다.		貯蓄どころか生活費も足りない。
	밥은커녕 죽도 못 먹는다.		ご飯どころかおかゆも食べられない。
	쉬기는커녕 자지도 못했다.		休むどころか寝ることもできなかった。
5	대로	①同様　②区別	～通りに、～なりに
	모형대로 잘 만들었다.		模型通りによく作った。
	계획대로 진행되고 있다.		計画通りに進行されている。
	나는 나대로 해 보겠다.		私は私なりにやってみるつもりだ。
6	더러	対象	～に
	동생더러 언제 가느냐고 물었다		弟にいつ行くのかと聞いた。
	그 여자가 나더러 누구냐고 물었다.		彼女が私に誰なのかと聞いた。
	아내더러 술을 사오도록 했다.		妻にお酒を買って来させた。
7	든지/이든지	全部容認	～でも
	사과든지 배든지 다 잘 먹는다.		りんごでも梨でもどれもよく食べる。
	과일이라면 뭐든지 다 좋아한다.		果物なら何でも全部好きだ。
	배 고프니까 무엇이든지 빨리 주세요.		お腹すいたから何でも早くください。
8	라도/이라도	①次善　②強調 ③前面容認　④例え	～でも
	술이라도 한잔할까?		お酒でも一杯やろうか。
	바빠서 몸이 열개라도 모자란다.		忙しくて体が10個でも足りない。
	나는 언제라도 시간이 있다.		私はいつでも時間がある。
	마치 약속이라도 한 듯 찾아왔다.		まるで約束でもしたように訪ねてきた。
9	라야/이라야	①指定　②軽視	～でなければ、～といっても
	이곳은 청소년이라야 들어갈 수 있다.		ここは青少年でなければ入れない。
	이 일은 자네라야 할 수 있다.		この仕事は君でなければできない。
	재산이라야 집 한 채가 전부다.		財産といっても家屋一軒がすべてだ。
10	로서/으로서	身分・地位・資格	～として
	친구로서 한마디 하겠다.		友人として一言言いたい。
	가장으로서 느끼는 책임이 있다.		家長として感じる責任がある。

11	마다	①全部　②間隔	①～ごとに　②～おきに
	일요일마다 비가 온다. 버스는 5분마다 출발한다.		日曜日ごとに雨が降る。 バスは5分おきに出発する。
12	마저	否定的な状況の追加	～さえ、～まで、～も
	추운데 바람마저 세게 불었다. 가족들마저 나를 믿어주지 않는다.		寒いのに風まで強く吹いた。 家族さえ私を信じてくれない。
13	만	①限定　②強調 ③程度	～だけ、～ばかり、～ほど、こそ
	반찬이 없어서 밥만 먹었다. 그를 만나야만 모든 문제가 해결된다. 동생이 형만 못하다.		おかずがなくてご飯ばかり食べた。 彼に会ってこそすべての問題が解決できる。 弟は兄ほどできない(に及ばない)
14	만큼	①程度・限定　②比較	～ほど、～だけ、～くらい
	그 사람만큼 능력 있는 사람은 없다. 부모님에게만큼은 잘해 드리고 싶다. 나도 당신만큼은 할 수 있다.		あの人ほど能力のある人はいない。 親にだけはよくしてあげたい。 私もあなたほどはできる。
15	밖에	特定の事柄以外排除	～しか
	하나밖에 남지 않았다. 나를 알아주는 사람은 너밖에 없다. 가지고 있는 돈이 천 원밖에 없었다.		一つしか残っていない。 私をわかってくれる人は君しかいない。 持っている金が千ウォンしかなかった。
16	야말로/이야말로	事柄の強調・確認	～こそ
	통일이야말로 우리의 최대의 과제다. 김 교수야말로 진정한 학자다. 너야말로 조용히 해라.		統一こそわれわれの最大の課題だ。 金教授こそ本当の学者だ。 君こそ静かにしなさい。
17	에다가	①場所　②追加　③列挙 ④手段　⑤対象	～に、～に加えて ※縮約形は「에다」
	언덕 위에다가 집을 지었다. 이번에는 월급에다가 수당도 붙었다. 술에다가 고기에다가 실컷 먹었다. 이불은 햇볕에다가 말려야 좋다. 난초에다가 물을 주었다.		丘の上に家を建てた。 今回は月給に加えて手当てもついた。 酒に肉にたらふく食べた。 布団は天日に干したほうがいい。 蘭に水をやった。
18	조차	極端な例示	～さえ、～まで、～も
	밤낮 공부만 하던 민수조차 떨어졌다. 목이 아파서 침조차 삼키기 힘들다. 자식들조차 얼굴을 내밀지 않는다.		日夜勉強ばかりしていたミンスさえ落ちた。 のどが痛くてつばさえ飲み込みづらい。 子供たちさえ顔を出さない。
19	처럼	例え、同様	～のように
	얼음처럼 차갑다. 아이처럼 순진하다. 새처럼 날고 싶다.		氷のように冷たい。 子供のように純真だ。 鳥のように飛びたい。
20	치고	①例外なく　②例外的に	～で、～として、～にしては
	대학생치고 그걸 모르는 사람은 없다. 동생은 중학생치고는 키가 너무 작다.		大学生でそれを知らない人はいない。 弟は中学生にしては背が低すぎる。

資料2　中級レベル主要語尾・慣用表現リスト

1. 中級レベル連結語尾・連結表現リスト

※1) 結合関係表示：V(動詞)、A(形容詞)、N(名詞)
※2) 時制・尊敬の先語末語尾、指定詞、存在詞との結合関係は特に示していない。

	連結語尾・連結表現	意味／用例	
1	V-(으)ㄴ 대로 V-는 대로 V-는 대로	①同様に　②すぐ ③その都度すべて	～とおり、～まま、 ～たらすぐ、～たびに
	본 대로 들은 대로 이야기를 했다. 아는 대로 설명하겠다. 미국에 도착하는 대로 연락할게요. 기회 있는 대로 메모를 한다.	見たまま聞いたままに話をした。 知っているとおりに説明したい。 アメリカに到着したらすぐ連絡します。 機会ある度にメモをする。	
2	V-(으)ㄴ 지	時間の経過	～て、～てから
	그를 만난 지도 꽤 오래되었다. 결혼한 지 3년이 지났다.	彼に会ってからかなり長く経っている。 結婚してから 3年が経った。	
3	A-(으)ㄴ데도 V-는데도 N-인데도	逆接の状況・事実の 説明(意外・不服)	～のに、～ても
	이렇게 추운데도 놀러 나갔다. 많이 먹는데도 살이 안 찐다. 밤인데도 검은 안경을 쓰고 있다.	こんなに寒いのに遊びに出かけた。 たくさん食べているのに太らない。 夜なのに黒いメガネをかけている。	
4	V-(으)ㄹ 겸	二つ以上の 行為の並行	～がてら、～を兼ねて
	책도 살 겸 친구도 만날 겸… 스트레스도 풀 겸 노래방에 갔다.	本も買い、友だちにも会いに…。 ストレス解消も兼ねてカラオケに行った。	
5	V-(으)ㄹ 바에	場合・状態には (むしろ)	～するのなら、～するからには
	그럴 바엔 차라리 그만두겠다. 어차피 갈 바에는 지금 가겠다.	そんなことをするくらいならいっそやめる。 どうせ行くのならいま行きたい。	
6	VA-(으)ㄹ 뿐	限定	～だけで、～のみで
	그저 웃고만 있을 뿐 말이 없다. 값만 비쌀 뿐 품질이 안 좋다.	ただ笑っているのみで何も言わない。 値段ばかり高くて品質はよくない。	
7	VA-(으)ㄹ 뿐만 아니라 N-뿐만 아니라	状況・事柄の追加	～だけでなく、～ばかりか ～のみならず
	맛이 있을 뿐만 아니라 값도 싸다. 돈도 없을 뿐만 아니라 시간도 없다. 다리뿐만 아니라 얼굴도 부었다.	美味しいだけでなく値段も安い。 お金もないばかりか時間もない。 足だけではなく顔も腫れている。	
8	VA-(으)ㄹ까 봐(서)	疑心・心配の推測	～かと思って、～そうで
	시험에 떨어질까 봐 걱정이다. 비가 올까 봐 빨래를 널지 않았다.	試験に落ちるのではないか心配だ。 雨が降りそうで洗濯物を干さなかった。	
9	V-(으)ㄹ래야	仮定・条件	～ようとしても

	※「-려고 해야/-려고 해도」の縮約形 믿을래야 믿을 수 없었다. 갈래야 갈 수 없는 고향.		信じようとしても信じられなかった。 行こうとしても行けない故郷。
10	VA-(으)ㄹ수록	程度の比例	～ほど、～であるほど
	높이 올라갈수록 기온은 떨어진다. 이것은 더우면 더울수록 잘 자란다. 읽으면 읽을수록 재미있다.		高く上がるほど気温は下がる。 これは暑ければ暑いほどよく育つ。 読めば読むほど面白い。
11	V-(으)ㄹ지 말지	判断の迷い・躊躇	～ようか～まいか
	모임에 참석할지 말지 고민 중이다. 유학을 갈지 말지 망설이고 있다.		会合に出席しようかしまいか思案中だ。 留学に行こうか行くまいか迷っている。
12	V-(으)ㄹ 테니까	①意志・予定　②推測	～つもりだから、～から
	내일 갈 테니까 그때 이야기하자. 비가 올 테니까 오늘은 그만두자.		明日行くからその時話そう。 雨が降るだろうから今日は止めよう。
13	V-(으)ㄹ 테면	意志・希望の仮定	～つもりなら、～なら
	갈 테면 가라. 닫을 테면 닫아도 좋다.		行きたければ行きなさい。 閉めるつもりなら閉めてもいい。
14	VA-(으)ㄹ 텐데	推測	～はずなのに、～だろうに
	돈이 없을 텐데 비싼 것만 산다. 바쁠 텐데 와 줘서 고맙다.		お金がないはずなのに高い物ばかり買う。 忙しいはずなのに来てくれてありがとう。
15	VA-(으)나	①逆接　②常に　③すべて	～が、～だが、～ても
	값은 싸나 품질은 좋지 않다。 엄마는 자나 깨나 동생 걱정만 한다. 무엇을 먹으나 다 마찬가지다.		値段は安いが､品質はよくない。 母は寝ても覚めても弟の心配ばかりしている。 何を食べてもみんな同じだ。
16	V-(으)나 마나	同じ状況・結果	～ても～なくても
	너는 보나 마나 합격일 거야. 들으나 마나 한 소리는 하지 마.		君は間違いなく合格だろう。 どうでもいい話はするな。
17	VA-(으)니	①原因・根拠　②前置き	～から、～と、～たら
	좀 뜨거우니 식혔다가 먹자. 그가 결혼한다고 하니 놀랍다. 교실에 가 보니 아무도 없었다.		少し熱いから冷まして食べよう。 彼が結婚するというから驚きだ。 教室に行ってみたら誰もいなかった。
18	V-(으)라고	命令の伝聞	～しろと、～するようにと
	밥 먹은 후에 이를 닦으라고 했다. 의사가 담배를 끊으라고 충고했다.		食事をした後は歯を磨くようにと言った。 医者からタバコをやめるようにと忠告された。
19	V-(으)려고 하다가	①意図の中止・変更 ②様態の変化	～ようとして、～ようとしていたが、 ～しかけて
	여행을 가려고 하다가 그만두었다. 잠깐 쉬려고 하다가 잠이 들었다. 비가 오려고 하다가 말았다.		旅行に行こうとしたが､やめた。 少し休もうとして寝入ってしまった。 雨が降りそうだったが､降らなかった。
20	V-(으)려고 해서	理由	～ようとしたので
	결석을 하려고 해서 야단을 쳤다. 비가 오려고 해서 빨래를 걷었다.		欠席をしようとしたので叱った。 雨が降りそうだったので洗濯物を取り込んだ。
21	V-(으)려는데	前置き・状況の説明	～ようとするところへ
	막 나가려는데 손님이 왔다. 음악을 들으려는데 아이가 들어왔다.		ちょうど出かけようとするときにお客さんが来た。 音楽を聞こうとしたら子供が入って来た。

22	V-(으)려다가	「-(으)려고 하다가」の縮約	～ようとしていたが
	어제 가려다가 일이 생겨서 못 갔다. 정말이냐고 물으려다가 그만두었다.		昨日行こうとしたが用事ができて行けなかった。 本当なのかと聞こうとしたがやめた。
23	V-(으)려던	意図・状況の変化	～ようとしていた、 ～つもりだった
	내가 읽으려던 책이 없어졌다. 끊으려던 담배를 다시 피우고 있다.		私が読もうとしていた本がなくなった。 止めようとしていたタバコをまた吸っている。
24	V-(으)려면	実現の条件	～ようとすれば、～するには
	성공하려면 노력을 해야 한다. 건강을 유지하려면 걸어야 한다. 얼음이 녹으려면 아직 멀었다.		成功するには努力をしなければならない。 健康を保つには歩かなければならない。 氷が解けるにはまだまだだ。
24	N-(으)로 인해(서)/인한	原因	～によって/～による
	돈으로 인해 타락한 적은 없다. 이곳은 홍수로 인한 재난이 많았다. 부주의로 인한 사고		お金によって堕落したことはない。 ここは洪水による災難が多かった。 不注意による事故
26	VA-(으)면	仮定・条件	～ば、～と、～たら
	모르는 것이 있으면 물어 보세요. 약을 먹으면 좋아질 것이다.		分からないことがあれば聞いてください。 薬を飲んだらよくなるだろう。
27	VA-(으)면서	①動作・状態の並行 ②逆接	～ながら、～と同時に
	신문을 보면서 밥을 먹는다. 그녀는 부드러우면서 의연하다. 모르면서 아는 척한다.		新聞を見ながらご飯を食べる。 彼女は温厚でありながらき然としている。 知らないのに知っている振りをする。
28	VA-(으)므로 N-(이)므로	理由・根拠	～ので、～から
	그는 부지런하므로 성공할 것이다. 오늘은 휴일이므로 쉰다.		彼は勤勉だから成功するだろう。 今日は休日なので休む。
29	V-ㄴ/는다고 A-다고	①伝聞・引用 ②原因・理由	～と、～といって、 ～からと
	민수는 내일 간다고 하던데요. 이번에는 열심히 하겠다고 약속했다. 공부를 안 한다고 엄마한테 혼 났다.		ミンスは明日行くと言っていましたよ。 今度は一生懸命すると約束した。 勉強をしないと母に叱られた。
30	V-ㄴ/는다고 하기에 A-다고 하기에	伝聞の原因・理由	～というので ～というから
	학교에 안 온다고 하기에 걱정했다. 춥다고 하기에 옷을 많이 입고 왔다. ※縮約形は「-ㄴ/는다기에」,「-다기에」 밥을 못 먹는다기에 걱정했다. 배가 고프다기에 빵을 사 가지고 갔다.		学校に来ないというから心配した。 寒いというので服をたくさん着て来た。 ご飯が食べられないというので心配した。 お腹がすいたというからパンを買って行った。
31	V-ㄴ/는다면 A-다면	①仮定　②説明	～というなら、～なら ～といえば
	※「-ㄴ/는다고 하면・-다고 하면」の縮約形 정말 날 믿는다면 내 말을 들어라. 흥미가 없다면 안 와도 된다.		 本当に私を信じるというなら私の話を聞きなさい。 興味がなければ来なくてもいい。

32	V-ㄴ/는다지만 A-다지만	伝聞の事実との違い	～というが、～そうだが
	※「-(ㄴ/는)다고 하지만」の縮約形 눈은 다 녹았다지만 아직 쌀쌀하다. 품질이 좋다지만 비싸서 못 산다.	雪は全部溶けたというが､まだ肌寒い。 品質が良いというが､高くて買えない。	
33	V-ㄴ/은 김에 V-는 김에	きっかけ・機会	～ついでに、～機会に,
	말이 나온 김에 대답을 듣고 싶다. 마음을 먹은 김에 당장 하자.	話が出たついでに返事を聞きたい。 決心がついたからすぐしよう。	
34	VA-ㄴ/은 나머지 V-는 나머지 V-던 나머지	結果	～あげく、～あまり、 ～結果
	분한 나머지 한참 말을 잇지 못했다. 너무 기쁜 나머지 눈물을 흘렸다. 슬퍼하던 나머지 병이 났다.	悔しさのあまりしばし言葉が出なかった。 嬉しさのあまり涙を流した。 悲しんだあげく病気になった。	
35	V-ㄴ/은 대신에 V-는 대신에	逆接､代替､代価	～代わりに、～反面
	돈이 없는 대신 시간은 많다. 어제 못 간 대신 저녁을 살게.	お金がない反面時間は多い。 昨日行けなかったから夕飯をおごるよ。	
36	VA-ㄴ/은 반면(에) V-는 반면(에)	対立・相反	～反面、～が、～のに
	수학을 잘하는 반면에 영어는 못한다. 말은 빠른 반면에 동작은 느리다.	数学は得意だが､英語はできない。 言葉は早いが､動作は遅い。	
37	V-ㄴ/은 채(로) V-는 채(로)	状態持続	～まま
	옷을 입은 채로 물에 들어갔다. 그녀는 고개를 숙인 채 말했다.	服を着たまま水に入った。 彼女はうつむいたまま話した。	
38	VA-ㄴ/은 탓에	理由・原因(否定的な事の)	～せいで、～ために
	술이 과한 탓에 실수를 했다. 방이 밀폐된 탓에 무덥고 컴컴했다.	酒を飲みすぎたために失礼をした。 部屋が密閉されたせいで蒸し暑く暗かった。	
39	A-ㄴ/은 한편 V-는 한편	同時､一方	～と同時に、～する一方
	아이들을 칭찬하는 한편 야단도 친다. 농사를 짓는 한편 회사에도 다닌다.	子供たちを誉める一方叱ったりもする。 農業をする一方会社にも通っている。	
40	VA-ㅁ/음에 따라(서) N-에 따라(서)	①比例 ②根拠・基準	～に従って、～によって
	돈이 있고 없음에 따라 대우가 다르다. 건강이 회복됨에 따라 식욕도 왕성해졌다. 학자에 따라 주장이 다르다.	お金があるかないかによって待遇が違う。 健康が回復するに従って食欲も旺盛になった。 学者によって主張が異なる。	
41	VA-ㅁ/음에도 불구하고 N-에도 불구하고 V-는데도 불구하고 A-(으)ㄴ데도 불구하고	逆接(意外・不満)	～にもかかわらず
	비가 옴에도 불구하고 낚시를 갔다. 훌륭한 능력이 있는데도 불구하고…. 심한 감기에도 불구하고 출근했다.	雨が降るにもかかわらず釣りに行った。 立派な能力があるにもかかわらず … 。 ひどい風邪にもかかわらず出勤した。	

42	VA-ㅁ/음으로 인해(하여) N-으로 인해 N-으로 인한	理由・原因	～によって、～による
	짧은 치마가 유행함으로 인해…. 화재로 인해 모든 것을 잃었다. 이곳은 홍수로 인한 재난이 많았다.		短いスカートが流行ることによって …。 火事によってすべてのものを失った。 ここは洪水による災害が多かった。
43	V-거나 말거나	無関係	～ようが～まいが
	가거나 말거나 마음대로 해라. 욕을 하거나 말거나 신경 안 쓴다.		行こうが行くまいが勝手にしなさい。 悪口を言おうが言うまいが気にしない。
44	VA-거든	仮定・条件	～たら、～ば
	비가 그치거든 떠나자. 합격하고 싶거든 내 말을 들어라.		雨が止んだら出発しよう。 合格したかったら私の話を聞け。
45	V-고 나면	決果・条件	～と、～たら
	다 끝나고 나면 마음이 허전해진다. 실컷 울고 나면 후련해진다.		全部終わると心が寂しくなる。 思い切り泣いたらさっぱりする。
46	V-고 나서	動作・状態の終了	～てから、～した後
	한참 비가 오고 나서 날이 개었다. 검사를 받고 나서 들어간다.		しばらく雨が降ってから晴れた。 検査を受けてから入る。
47	V-고 보니	事後・結果の判断	～てみると、～たら、～ので
	그 말을 듣고 보니 이해가 되었다 바쁘고 보니 그럴 여유도 없다.		その話を聞いてみたら理解ができた。 忙しいのでそんな余裕もない。
48	V-고는 V-곤 (縮約形)	前提・条件	～ては
	사람은 빵만 가지고는 살 수 없다. 곧 돌아오겠다고 말하곤 가 버렸다.		人はパンだけでは生きることができない。 すぐ戻ると言っては行ってしまった。
49	V-고자	目的・願望	～ようと
	체중을 줄이고자 운동을 시작했다. 그의 이야기를 듣고자 찾아갔다.		体重を減らそうと運動を始めた。 彼の話を聞こうと訪ねて行った。
50	VA-기 전에	動作の前	～前に
	출발하기 전에 짐을 먼저 부쳤다. 비가 오기 전에 빨래를 걷어라.		出発する前に荷物を先に送った。 雨が降る前に洗濯物を取込みなさい。
51	VA-기는 하지만	一部肯定後結果 否認、相反	～はあるが、～はするが
	밥을 먹기는 하지만 식욕이 없다. 기다리기는 했지만 못 만났다.		ご飯を食べるには食べるが食欲がない。 待ってはいたが、会うことはできなかった。
52	VA-기는커녕	否定的内容の強調	～どころか、～はおろか
	보기는커녕 듣지도 못했다. 돕기는커녕 방해만 하고 있다		見るどころか聞きもしなかった。 助けるどころか邪魔ばかりしている。
53	VA-기도 해서	一部の理由・根拠	～こともあって、～たりして
	춥기도 해서 일찍 끝내고 돌아왔다. 비가 오기도 해서 손님이 별로 없다.		寒いこともあって早く終えて帰って来た。 雨が降ったりして客はあまりいない。
54	VA-기 때문에 N-이기 때문에 N-때문에	理由・原因	～ので、～なので、 ～ために

	사랑하기 때문에 그를 더 알고 싶다. 방학이기 때문에 한가하다. 빚 때문에 고생을 했다.		愛しているので彼をもっと知りたい。 休みなので暇だ。 借金のために苦労をした。
55	VA-기로	①理由・条件 ②譲歩	～ので、～ても
	타의 모범이 되기로 이에 표창을 함. 아무리 좋기로 그렇게까지 할까?		他人の模範になるのでここに表彰する。 いくら好きでもそこまでやるだろうか。
56	VA-기만 하면	条件限定	～しさえすれば、～たら必ず
	몸이 튼튼하기만 하면 된다. 유유를 먹기만 하면 배탈이 난다.		体が健康でさえあればいい。 牛乳を飲むと必ずお腹をこわす。
57	V-기보다는	比較	～よりは
	차를 타기보다는 걷는 것이 좋다. 받기보다는 주는 것이 더 행복하다.		車に乗るよりは歩いた方がいい。 もらうよりはあげるほうがもっと幸せだ。
58	VA-기에	原因・理由・根拠	～ので、～から
	너무 사랑했기에 헤어질 수 없었다. 맛있어 보이기에 사 왔다.		とても愛したので別れられなかった。 美味しそうに見えたので買って来た。
59	V-기에는	判断の基準	～には
	되돌아가기에는 너무 멀리 왔다. 내가 먹기에는 음식이 너무 매웠다.		戻るのにはあまりに遠く来すぎた。 私が食べるには食べ物が辛すぎた。
60	VA-길래	原因・根拠	～ので、～から、～て
	맛있어 보이길래 사 왔다. 아프다고 하길래 걱정이 되어서 왔다.		美味しく見えたので買って来た。 具合が悪いと言うから心配になって来た。
61	N-끝에 V-(으)ㄴ 끝에	結果	～した末に、～したあげく
	그들은3년간 연애 끝에 결혼하였다. 의논을 거듭한 끝에 낸 결론이다.		彼らは3年間の恋愛の末に結婚した。 議論を重ねたあげく出した結論である。
62	V-느냐고 A (으)냐고	疑問の伝聞	～のかと
	어디 가느냐고 물어 봤어? 어디 아프냐고 물어도 대답이 없다. 어떻게 하면 좋으냐고 의논해 왔다.		どこに行くのかと聞いてみたの? どこか具合が悪いかと聞いても返事がない。 どうすれば良いかと相談して来た。
63	V-느니	①比較選択 ②羅列	～よりは、～の～の、～とか～とか
	그냥 앉아 있느니 책이라도 읽자. 그냥 기다리느니 직접 찾아가자. 소풍을 가느니 마느니 말도 많다.		そのまま座っているより本でも読もう。 ただ待つより直接会いに行こう。 遠足に行くの行かないのとうるさい。
64	V-느라고	原因・理由	～ので、～ために
	공부하느라고 놀 틈이 없었다. 웃음을 참느라고 딴 데를 보았다.		勉強をしていたので遊ぶ暇がなかった。 笑いを堪えようとして別のところを見た。
65	VA-ㄴ/는 가운데 N-가운데	状態の持続中・ 範囲の中	～中で、～うちに、 ～ながら
	국가가 연주되는 가운데 국기가 게양되었다. 어려운 가운데서도 남을 돕는다.		国歌が演奏される中で国旗が掲揚された。 貧しい中でも人を助けている。
66	V-는 길에	移動の途中・機会	～途中で、～ついでに
	집에 가는 길에 비를 맞았다. 출장 가는 길에 고향에 들렀다.		家に帰る途中雨に降られた。 出張に行く途中に故郷に立ち寄った。

67	V-는 길로	すぐ、即時	～するとすぐ、～し次第
	학교에서 돌아오는 길로 학원에 갔다. 절에 들어가는 길로 머리를 깎았다.		学校から帰って来てすぐ塾に行った。 寺に入ってすぐ髪を刈った。
68	V-는 바람에	根拠・原因	～ので、～はずみに、～拍子に
	급히 먹는 바람에 체했다. 배탈이 나는 바람에 학교에 못 갔다.		急いで食べたせいで食もたれした。 お腹をこわしたので学校に行けなかった。
69	V-는 중에 V-던 중에	間、途中	～中、～途中、～ときに
	아침을 먹는 중에 그 뉴스를 보았다. 작품을 살펴보던 중에 깨달은 게 있다.		朝食を食べるときにそのニュースを聞いた。 作品を見ているときに気づいたのがある。
70	V-는지 A-(으)ㄴ지	①疑問・疑い ②推測	～のか、～のやら
	어디에 갔는지 아무도 모른다. 뭘 하고 있는지 물어 봐라. 살았는지 죽었는지 전혀 소식이 없다. 너무 낙관적인지 모르나….		どこへ行ったのか誰も知らない。 何をしているのか聞いてみなさい。 生きているのか死んだのか全然消息がない。 あまりに楽観的なのかもしれないが … 。
72	V-는 통에	状況・原因	～ために、～せいで
	아이들이 떠드는 통에 뉴스를 못 들었다. 배탈이 나는 통에 회사에 못 갔다.		子供達が騒ぐせいでニュースを聞いていない。 お腹をこわしたので会社に行けなかった。
72	V-는 한	前提・条件	～限り
	사과하지 않는 한 용서하지 않겠다. 내가 살아있는 한 잊지 못할 것이다.		謝らない限り許さない。 私が生きている限り忘れられないだろう。
73	V-는 한이 있더라도	極端な前提・条件	～ことがあっても
	비록 사표를 쓰는 한이 있더라도… 설령 죽는 한이 있더라도…		たとえ辞表を書くことがあっても…。 たとえ死ぬことがあっても…。
74	V-는/ㄴ다고 A-다고	①伝聞・引用 ②理由・原因	～と、～からといって
	다음 주에 가겠다고 하더라. 떠들었다고 혼이 났다. 책 읽는다고 텔레비전을 꺼 버렸다.		来週に行くと言っていたよ。 騒いだと叱られた。 本を読むからとテレビを消してしまった。
75	V-는 데다가 A-(으)ㄴ 데다가	状況の追加	～であるうえに、 ～するうえに
	싼 데다가 질도 좋아 잘 팔린다. 비가 오는 데다가 어두워서 못 간다.		安い上に質も良くてよく売れる。 雨が降っている上に暗くて行けない。
76	V-는 데 비해(서) A-(으) ㄴ 데 비해(서) N-에 비해(서)	基準・対比	～に比べて
	날씨가 따뜻한 데 비해 바람은 많이 분다. 남자에 비해 여자가 수명이 길다.		暖かいのに比べて風はかなり吹く。 男性に比べて女性のほうが寿命が長い。
77	VA-다 보니(까)	原因・理由、	～ので、～しているうちに
	살기가 어렵다 보니 어쩔 수 없었다. 이야기하다 보니 갈 시간이 다 됐다.		生活が苦しいから仕方なかった。 話しているうちに行く時間になった。
78	V-다 보면	条件・経過	～ていると、～ているうちに
	먹다 보면 익숙해지기 마련이다. 망설이다 보면 기회를 놓치기 쉽다.		食べているうちに慣れるものだ。 ためらっていると機会を逃しやすい。

79	VA−다가	①移行・転換 ②中断　③原因 ④交互の動作・状態	～しかけて、～途中で、～たり、 ～ていたが
	아이는 공부를 하다가 잠이 들었다. 조용하다가 갑자기 시끄러워졌다. 비가 오다가 그쳤다. 고기를 잡았다가 놓쳤다. 놀기만 하다가 낙제했다. 날씨가 덥다가 춥다가 한다.		子供は勉強をしている途中寝てしまった。 静かだったが、急にうるさくなった。 雨が降っていたが、止んだ。 魚を捕ったが、逃した。 遊んでばかりいて落第した。 暑かったり寒かったりする。
80	VA−다가는	①移行・転換 ②根拠・原因	～しかけては、～ては、
	지웠다가는 다시 쓰고 또 지우곤 했다. 공부를 좀 하다가는 잠이 들었다. 그렇게 떠들다가는 혼난다.		消してはまた書き、また消したりした。 勉強をしかけては寝てしまった。 そんなに騒いでは叱られる。
81	A−다고 해도 V−ㄴ/는다고 해도	仮定・条件	～といっても、～ても
	화가 난다고 해도 폭력은 안 된다. 맵다고 해도 못 먹을 정도는 아니다.		腹が立つといっても暴力はだめだ。 辛くても食べられないほどではない。
82	A−다기보다는 V−ㄴ/는다기보다는	比較強調、反対の 状況	～というよりは
	※「−ㄴ다고 하기보다는」の縮約形 밥을 먹는다기보다는 삼키고 있었다. 기쁘다기보다는 착잡한 기분이었다.		 ご飯を食べるというよりは飲み込んでいた。 嬉しいというよりは複雑な気分だった。
83	A−다기에 V−ㄴ/는다기에	伝聞の原因・理由	～というから ～というので
	※「−ㄴ/는다고 하기에」の縮約形 여기 오면 병이 잘 낫는다기에 왔다. 몸이 안 좋다기에 들렀다. 비가 올 것 같다기에 소풍을 중지했다.		 ここに来ると病気がよく治るというので来た。 体の具合が悪いというから立ち寄った。 雨が降りそうだというので遠足を中止した。
84	V−다시피	追認、ほぼ同じ状態	～のとおり、～のように～する
	알다시피 이 때가 가장 바쁘다. 그는 연구실에서 살다시피 했다.		お分かりのとおりこの時が一番忙しい。 彼はほとんど研究室で暮していた。
85	VA−더니	①理由・根拠 ②前置き	～ので、～から、～ていたが、 ～たかと思うと、～たら
	날이 흐리더니 비가 오기 시작했다. 운동을 했더니 온몸이 쑤신다. 날씨가 무덥더니 비가 온다.		曇ってきて雨が降り始めた。 運動をしたら全身が痛む。 蒸し暑かったと思ったら雨が降る。
86	VA−더라도	強い譲歩	～ても、～であっても
	화나는 일이 있더라도 참아라. 무슨 일이 있더라도 잊지 않겠다. 누가 하더라도 이보다 잘할 수는 없다.		腹が立つことがあっても我慢しなさい。 何があっても忘れまい。 誰がやってもこれよりはよくはできない。
87	V−더라면	過去の事実に 反する仮定・希望	～たならば、～だったら
	그 사람을 만났더라면 좋았을 텐데. 좀 더 노력했더라면 성공했을 거다. 네가 안 왔더라면 큰일 날 뻔했다.		その人に会えたなら良かったのに。 もう少し努力したなら成功しただろう。 君が来なかったら大変な事になるところだった。

88	VA-던	①過去回想 ②過去持続・反復	～だった、～かった、 ～していた、～した
	언니가 결혼하던 날도 눈이 내렸다. 추적추적 내리던 비가 멈췄다. 내가 곧잘 흥얼거리던 노래가 있다.		姉が結婚した日も雪が降った。 しとしと降っていた雨が止んだ。 私がよく口ずさんでいた歌がある。
89	VA-던데	①前置き　②逆接	～ていたが、～ていたのに
	병원에 자주 가던데 무슨 일 있니? 다 기다리던데 나는 못 기다리겠다.		病院によく行っていたが何かあるの？ みんな待っていたけど、私は待てない。
90	V-던지	①疑問・推測 ②原因・根拠	～たか、だったか、 ～したので、～のか
	그때 누가 있었던지 생각이 안 난다. 보기 안됐던지 자상하게 돌봐 줬다. 어찌나 무서웠던지 말도 할 수없었다.		あの時誰がいたのか思い出せない。 見かねたのか細やかに面倒をみてくれた。 とても怖かったので言葉も出なかった。
91	V-도록	①目的　②限界・程度	～ように、～まで、～ほど
	나무가 잘 자라도록 비료를 주었다. 한 달이 넘도록 입원해 있다. 모두 입에 침이 마르도록 칭찬한다.		木がよく育つように肥料を与えた。 1か月が過ぎるまで入院している。 みんな口を極めて褒めちぎる。
92	VA-든지	①選択 ②無関係・許容	～か、～ようが、～ようと、 ～ても
	직접 가든지 전화를 걸든지 해라. 싸우든지 화해를 하든지 맘대로 해라. 어디에 살든지 고향을 잊지는 마라. ※縮約形は「-든」 노래를 부르든 춤을 추든 열심히 해. 싫든 좋든 할 수밖에 없다.		直接行くか電話をかけるかしなさい。 喧嘩しようが和解しようが勝手にしろ。 どこに住もうが故郷を忘れるな。 歌おうが踊ろうが一生懸命やりなさい。 否でも応でも。
93	V-든지 말든지	無関係・無関与	～しようがしまいが
	비가 오든지 말든지(간에) 출발하자. 보든지 말든지 내 맘대로 하겠다.		雨が降ろうが降るまいが出発しよう。 見ようが見まいが私の好きなようにしたい。
94	VA-듯이 V-는 듯이 VA-(으)ㄴ/(으)ㄹ 듯이	①例示・例え ②推測	～かのように、～のように
	사람마다 얼굴이 다르듯이 생각도 다르다. 땀이 비 오듯이 흘러내린다. ※「VA-듯이」の「-듯이」は語尾。「V-는/(으)ㄴ/(으)ㄹ 듯이」の「듯이」は依存名詞で分かち書きをする。 비를 맞은 듯이 그녀는 젖어 있었다. 그는 뭐든지 아는 듯이 말한다. 곧 비라도 내릴 듯이 하늘이 어둡다.		人それぞれ顔が違うように考え方も違う。 汗が雨のように濡れ落ちる。 雨に降られたように彼女は濡れていた。 彼はなんでも知ったかぶりをする。 すぐ雨でも降りそうに空が暗い。
95	N-탓에 VA-(으)ㄴ 탓에 V-는 탓에	否定的な原因・ 理由	～ために、～せいで、 ～わけで
	아버지 탓에 어머니가 고생을 한다. 공급이 모자라는 탓에 물가가 오른다. 방이 밀폐된 탓에 무덥고 컴컴하다.		父のせいで母が苦労をする。 供給が足りないために物価が上がる。 部屋が密閉されたせいで蒸し暑くて暗い。

96	N-라도	譲歩	～でも,であっても
	그것이 금덩이라도 나는 필요없다. 친구 사이라도 돈은 빌려 주지 않겠다.		それが金塊であっても私は要らない。 友だちの仲でも金は貸さないつもりだ。
97	V-(으)라지만 N-(이)라지만	①命令の伝聞・引用逆接　②例示逆接	～だそうだが、～というが、 ～というけれども
	※叙述形の「-라고 하지만」の縮約形 약을 쓰라지만 뭐가 좋은지 모르겠다. 당장 가라지만 나는 그럴 수가 없다. 봄이라지만 새벽 공기가 제법 차다.		 薬を使えというが何がいいのか分からない。 今すぐ行けというが私はそうはできない。 春というが,明け方の空気はかなり冷たい。
98	V-아/어 가지고	①状態の持続 ②結果・因果	～て、～ので、～のに
	서점에서 책을 잔뜩 사 가지고 왔다. 대학을 나와 가지고도 취직이 힘들다		書店で本をいっぱい買って来た。 大学を出ても就職が難しい。
99	V-아/어 봐도	譲歩	～てみても
	골라 봐도 마음에 드는 게 없다. 아무리 들어 봐도 이해가 안 된다.		選んでみても気に入るものがない。 いくら聞いてみても理解できない。
100	VA-아/어 봐야	仮定・条件の強調	～ても、～といっても、～てこそ
	밑져 봐야 얼마 안 되니까 걱정 마. 고생을 해 봐야 부모 마음을 알 거다.		損しても大したことないから心配するな。 苦労をしてはじめて親心が分かるだろう。
101	VA-아/어 봤자	譲歩	～したところで、～ても
	지금 와서 후회해 봤자 늦었다. 아무리 노력해 봤자 소용없다		いまになって後悔したところで遅い。 いくら努力しても無駄だ。
102	VA-아서/어서 그런지	理由・原因の推測	～からなのか、～せいか
	너무 더워서 그런지 밥맛이 없다. 바람이 불어서 그런지 먼지가 많다.		暑過ぎるせいか食欲がない。 風が吹いたからなのかほこりっぽい。
103	VA-어야/아야	強い条件	～てこそ、～てはじめて、 ～しなければ～られない
	사람은 먹어야 산다. 마음이 맞아야 함께 살 수 있다.		人は食べなければ生きられない。 気が合わなければ一緒に住めない。
104	VA-아야만/-어야만	①強い条件　②当為	～てこそ、～てはじめて ～べきだ
	그 아픔을 참아야만 어른이 될 수 있다. 모두 이성을 되찾아야만 한다.		その痛みを堪えてはじめて大人になれる。 みんな理性を取り戻さなければならない。
105	V-자	①継起的にすぐ ②原因	～とすぐ、～するや、～と同時に
	그가 들어서자 모두 입을 다물었다. 그 이야기를 듣자 화가 치밀었다.		彼が入っていくとみんな口をつぐんだ。 その話を聞て怒りがこみ上げた。
106	V-자고	提案・勧誘の伝聞	～しようと
	단풍구경을 가자고 하는 연락이 왔다. 내일 바둑을 한 판 두자고 전화했다.		紅葉狩りに行こうという連絡が来た。 明日囲碁を一局打とうと電話した。
107	V-자마자	継起的にすぐ	～やいなや、～てすぐ
	음식을 먹자마자 토해 버렸다. 나오자마자 베스트셀러가 되었다.		食べ物を食べるやいなや吐いてしまった。 出版されるとすぐベストセラーになった。

2. 中級レベル終結語尾・終結表現リスト

※1) 結合関係表示：V(動詞)、A(形容詞)、N(名詞)
※2) 時制・尊敬の先語末語尾、指定詞、存在詞との結合関係は特に示していない。

	終結語尾・終結表現	意味／用例	
1	A-(으)ㄴ 것이다 V-는 것이다	確信・説明	～のだ、～である
	담배는 건강에 해로운 것이다. 질병은 늘 예방과 치료가 필요한 것이다. 좋은 책은 좋은 독자가 만드는 것이다.	タバコは健康に有害なものだ。 疾病は常に予防と治療が必要である。 良い本は良い読者が作るものだ。	
2	VA-(으)ㄴ 것 같다 VA-(으)ㄹ 것 같다 V-는 것 같다	推測・不確実な断定	～そうだ、～ようだ、 ～みたいだ
	비가 온 것 같다. 비가 오는 것 같다. 비가 올 것 같다. 서울은 아주 추운 것 같다. 내일은 아주 추울 것 같다.	雨が降ったようだ。 雨が降っているようだ。 雨が降りそうだ。 ソウルはとても寒いようだ。 明日はとても寒くなりそうだ。	
3	VA-(으)ㄴ 듯하다 VA-(으)ㄹ 듯하다 V-는 듯하다	推測	～ようだ、～そうだ
	비가 온 듯하다. 비가 오는 듯하다. 비가 올 듯하다. 문제가 조금 어려운 듯하다.	雨が降ったようだ。 雨が降っているようだ。 雨が降りそうだ。 問題が少し難しいようだ。	
4	VA-(으)ㄴ 셈이다	状況・結果	～わけだ
	결국 내가 진 셈이다. 그 정도면 잘한 셈이다.	結局私が負けたわけだ。 それぐらいならよくやったわけだ。	
5	VA-(으)ㄴ 적이 있다/없다	経験・時	～したことがある/ない
	제주도에 가 본 적이 있다. 그 책은 읽은 적은 없다.	済州島に行ったことがある。 その本は読んだことがない。	
6	VA-(으)ㄴ 줄 알았다 V-는 줄 알았다 VA-(으)ㄹ 줄 알았다	予測・判断・期待のはずれ	～と思っていた
	밥을 먹은 줄 알았다. 밥을 먹는 줄 알았다. 밥을 먹을 줄 알았다.	ご飯を食べたと思った。 ご飯を食べていると思った。 ご飯を食べると思った。	
7	VA-(으)ㄴ 줄 몰랐다 V-는 줄 몰랐다 VA-(으)ㄹ 줄 몰랐다	不測・不知	～とは思わなかった ～とは知らなかった
	네가 유학을 간 줄 몰랐다. 네가 유학을 가는 줄 몰랐다. 네가 유학을 갈 줄 몰랐다.	君が留学に行ったことを知らなかった。 君が留学に行くことを知らなかった。 君が留学に行くとは思わなかった。	
8	VA-(으)ㄴ 척하다 V-는 척하다	偽りの態度	～ふりをする

	배가 아픈 척하고 엎드려 있다. 때로는 모르는 척하는 것도 미덕이다		お腹が痛いふりをして伏せている。 時には知らないふりをすることも美徳だ。
9	VA-(으)ㄴ 편이다 V-는 편이다	同じ部類・状態	〜ほうだ
	혈압이 높은 편이라 짠 것은 피한다. 아직은 여유가 좀 있는 편이다.		血圧が高いほうなので塩辛いものは避ける。 まだちょっと余裕があるほうだ。
10	VA-(으)ㄹ 거라고 하다	意志・推測の伝聞	〜だろうという、〜だという
	졸업하면 유학을 갈 거라고 한다. 내일은 비가 내릴 거라고 한다.		卒業すると留学に行くつもりだそうだ。 明日は雨が降ると言っている。
11	VA-(으)ㄹ 것이다	意志・推測	〜つもりだ、〜だろう
	나는 끝까지 싸울 것이다. 내일은 날씨가 좋을 것이다.		私は最後まで戦うつもりだ。 明日は天気がいいだろう。
12	VA-(으)ㄹ 게 뻔하다	確実・自明	〜決まっている、〜確かだ
	성격이 달라 금방 헤어질 게 뻔하다. 아버지는 그 일에 반대할 게 뻔하다.		性格が違ってすぐ別れるに決まっている。 父はそのことに反対するに決まっている。
13	VA-(으)ㄹ 리(가) 없다	理由・可能性の否定	〜はずがない、〜わけがない
	그 말이 유쾌하게 들릴 리가 없다. 그의 마음도 편할 리가 없다.		その言葉が愉快に聞こえるはずがない。 彼の心も穏やかなわけがない。
14	V-(으)ㄹ 만하다	価値・能力・状態の程度	〜に値する、〜得る、 〜に適する、〜そうだ
	거기는 꼭 가 볼 만한 곳이다. 믿을 만한 친구가 별로 없다. 이런 것쯤은 참을 만하다.		そこは必ず行ってみる価値のあるところだ。 信用できる友だちがあまりいない。 こんなことぐらいは我慢できる。
15	VA-(으)ㄹ 모양이다 VA-(으)ㄴ 모양이다 V-는 모양이다	推測	〜ようだ、〜らしい、 〜そうだ
	비가 올 모양이다. 비가 온 모양이다. 비가 오는 모양이다. 민수는 요즘은 아주 바쁜 모양이다.		雨が降りそうだ。 雨が降ったようだ。 雨が降っているようだ。 ミンスは最近とても忙しいようだ。
16	V-(으)ㄹ 뻔하다	否定的な事が起こる寸前の局面(実際は起きていない)	〜ところだった、〜そうだった
	하마터면 차에 치일 뻔했다. 자칫 낭떠러지 아래로 떨어질 뻔했다		危うく車にひかれるところだった。 間違えば崖の下に落ちるところだった。
17	V-(으)ㄹ 뿐이다	限定	〜だけだ、〜のみだ
	그는 말 없이 웃고만 있을 뿐이었다. 나는 그저 지시에 따랐을 뿐이다.		彼は黙って笑っているだけだった。 私はただ指示に従っただけだ。
18	V-(으)ㄹ 수 있다/없다	可能性・能力・技能	〜ことができる/できない
	이 자전거는 여기서 고칠 수 있다. 인간은 사회를 떠나서는 살 수 없다. 영어뿐 아니라 한국어도 할 수 있다.		この自転車はここで直すことができる。 人間は社会を離れては生きていけない。 英語だけではなく韓国語もできる。
19	V-(으)ㄹ 수밖에 없다	他の可能性・方法の否定	〜よりほかない、〜しかない
	돈이 없으니까 단념할 수밖에 없다. 결국 내가 할 수밖에 없었다.		お金がないから諦めるしかない。 結局私がやるしかなかった。
20	V-(으)ㄹ 줄 모르다	方法・技能・能力の否定	〜できない、〜すべを知らない

	아직 자전거도 탈 줄 모른다. 헤엄칠 줄 몰라서 수영장에 안 가요.		まだ自転車も乗れない。 泳げなくてプールに行きません。
21	V-(으)ㄹ까 말까 하다	程度・状態、躊躇	~しようかどうしようか
	열 살이 될까 말까 한 아이였다. 갈까 말까 망설였다.		十歳になるかならないかの子供がいた。 行こうか行くまいか迷った。
22	V-(으)ㄹ까 하다	意図	~ようかと思う
	남은 것은 다 버릴까 한다. 주말에는 낚시를 갈까 한다.		残ったものはすべて捨てようかと思う。 週末には釣りに行こうかと思っている。
23	VA-(으)ㄹ지 걱정이다	不安・憂慮	~か心配だ
	주말에 날씨가 좋을지 걱정이다. 우리 말을 들어 줄지 걱정이다.		週末に天気が晴れるか心配だ。 我々の話しを聞いてくれるか心配だ。
24	VA-(으)ㄹ지 모르다 VA-(으)ㄴ지 모르다 V-는지 모르다	推測・疑問	~かもしれない、 ~かわからない
	그가 왔을지도 모른다. 과연 그가 좋아할지 모르겠다. 어디서 무엇을 하는지 모른다.		彼が来たかも知れない。 果して彼が喜ぶかわからない。 どこで何をしているのかわからない。
25	V-(으)라고 하다	命令の伝聞・引用	~しろという、~ようにという
	지금 오지 말고 밤에 오라고 한다. 할 일이 있다고 먼저 가라고 한다.		いま来ないで夜に来るようにという。 やることがあるから先に帰れという。
26	V-(으)려던 참이다	実行の直前	~ようとしていたところだ
	지금 편의점에 가려던 참이다. 이제 막 나가려고 하던 참이다.		いまコンビニへ行こうとしていたところだ。 ちょうど出かけようとしていたところだ。
27	V-(으)면 되다	許容	~ばいい
	이 일은 내일까지 하면 된다. 200원짜리 우표를 붙이면 된다.		この仕事は明日までやればよい。 200ウォンの切手を貼ればいい。
28	VA-(으)면 좋겠다	希望・願望	~たい、~てほしい
	주말에는 온천에라도 갔으면 좋겠다. 날씨가 좀 더 따뜻하면 좋겠다.		週末は温泉にでも行きたい。 もう少し暖かければいいなあ。
29	VA-(으)면 하다	希望・願望	~たい、~たらと思う
	일요일에는 하루종일 잤으면 한다. 비행기를 한번 타 봤으면 한다.		日曜日は一日中寝たい。 飛行機に一度乗ってみたい。
30	V-ㄴ/는다고 하다 A-다고 하다	伝聞・引用の説明	~そうだ、~という
	언니는 지금 김치를 담근다고 한다. 하루에 한 끼밖에 안 먹는다고 한다. 바람이 아직 쌀쌀하다고 한다.		姉はいまキムチを漬けているという。 一日に一食しか食べないという。 風がまだ肌寒いという。
31	VA-게 되다	状況・状態の変化・進展	~ようになる、~くなる
	쓰레기 처리하기가 어렵게 되었다. 결혼하게 되면서 일을 그만두었다.		ごみを処理するのが難しくなった。 結婚するようになって仕事をやめた。
32	V-게 하다	使役	~ようにする、~させる
	추울 때는 환자를 방 안에서 걷게 한다. 학생들에게 매일 신문을 읽게 했다.		寒い時は患者を部屋の中で歩かせる。 学生たちに毎日新聞を読ませた。
33	VA-곤 하다	反復	~たりする

	※「-고는 하다」の縮約形 자기 전에 꼭 기도를 드리곤 하였다. 일요일엔 사진을 찍으러 나가곤 했다		寝る前に必ず祈りをささげたりした。 日曜日には写真を撮りに出かけたりした。
34	V-기 나름이다 N-나름이다	程度・種類・事情のいかんによるとの意	～次第だ、～による
	불행과 행복은 생각하기 나름이다. 농담도 때와 장소 나름이다.		不幸と幸福は考え方次第だ。 冗談も時と場所による。
35	VA-기/게 마련이다	当然・きまり	～するものだ、～ようになっている
	봄이 되면 꽃이 피기 마련이다. 아무리 추워도 봄은 오기 마련이다.		春になると花が咲くものだ。 いくら寒くても春は来るものだ。
36	VA-기는 하다	一部肯定	～(する) ことは(する)
	잘하기는 하지만 아직 멀었다. 돈이 있기는 하다.		上手ではあるがまだまだだ。 お金があるのはある。
37	V-기로 하다	決定・約束	～ことにする・決める
	그와 내일 만나기로 했다. 이번만은 꼭 해 보기로 했다.		彼と明日会うことにした。 今度だけは必ずやってみることにした。
38	VA-나 보다	推測	～ようだ
	밖에는 비가 내리나 보다. 선선한 걸 보니 가을이 되었나 보다.		外は雨が降っているようだ。 涼しいのをみると秋になったようだ。
39	V-느냐고 하다/묻다 A-(으)냐고 하다/묻다	疑問の伝聞・引用	～のかという・聞く、 ～かと言われる
	내일 어디 가느냐고 물어 봤다. 누가 더 나이가 많으냐고 묻더라.		明日どこに行くのかと聞いてみた。 誰が年上なのかと聞いていたよ。
40	V-는 법이다 A-(으)ㄴ 법이다	道理・当然・きまり	～ことだ、～のが道理だ、 ～ものだ
	기대가 크면 실망도 큰 법이다. 죄를 지으면 벌을 받는 법이다.		期待が大きければ失望も大きいものだ。 罪を犯せば罰を受けるものだ。
41	V-는가 보다 A-(으)ㄴ 가 보다	推測・判断	～ようだ、～らしい
	무슨 일이 있었는가 보다. 학교에 가기 싫은가 보다.		何かあったようだ。 学校に行きたくないようだ。
42	VA-아/어 보이다	①行動・態度　②感じ・印象	～みせる、～みえる
	그는 힘없이 웃음을 지어 보였다. 겉으론 얌전해 보인다.		彼は元気なく笑みをうかべてみせた。 うわべは大人しく見える。
43	V-아/어 있다	状態・状態持続	～ている
	모든 식품은 비닐로 포장되어 있다. 공원에 장미꽃이 피어 있다.		すべての食品はビニールで包装されている。 公園にバラの花が咲いている。
44	VA-아/어야 하다	必要・当然	～なければならない
	내일은 5시에 일어나야 한다. 실내에서는 구두를 벗어야 한다.		明日は5時に起きなければならない。 室内では靴を脱がなければならない。
45	V-자고 하다	提案・勧誘の伝聞	～ようと言う
	밥 먹으러 가자고 했다. 언젠가는 꼭 밝혀 내자고 했어요.		ご飯食べに行こうと言った。 いつかは必ず究明しようと言いました。

解説ページ収録項目索引

1. 多義語、その他語彙関係

2. 関連事項の解説関係(1)

3. 関連事項の解説関係(2)

李昌圭(イ　チャンギュ)
武蔵野大学名誉教授

▷市販中の著書はネット書店で著者名から検索できます。

・e-hon　https://www.e-hon.ne.jp/bec/EB/Top
・紀伊国屋書店　https://www.kinokuniya.co.jp/
・honto　https://honto.jp/
・Amazon　https://www.amazon.co.jp/

韓国語中級読解練習 ― TOPIK& ハン検中級レベル ―

2020年 2月 20日　初版発行
2023年 7月 10日　2刷発行

著　者　李 昌 圭
発行者　佐藤和幸
発行所　白 帝 社
〒171-0014 東京都豊島区池袋 2-65-1
電話 03-3986-3271　FAX03-3986-3272
https://www.hakuteisha.cp.jp

組版　崔貞姫
印刷・製本　ティーケー出版印刷
カバーデザイン　㈱アイ・ビーンズ

Printed in Japan〈検印省略〉　ISBN978-4-86398-393-9
＊定価はカバーに表示してあります。

◆本書の追加・訂正情報があれば掲載しています。
https://www.hakuteisha.co.jp/book/b497311.html